EAUX TROUBLES

De la même auteure :

Femme-Boa, nouvelles, L'instant même, 2005.

CAMILLE DESLAURIERS

Eaux troubles

nouvelles

L'instant même

Maquette de la couverture : Interscript
Illustration de la couverture : Joanna Szachowska-Tarkowska
Photocomposition : CompoMagny enr.

Distribution pour le Québec : Diffusion Dimedia
539, boulevard Lebeau
Montréal (Québec) H4N 1S2

Distribution pour la France : Distribution du Nouveau Monde

L'instant même
865, avenue Moncton
Québec (Québec) G1S 2Y4
info@instantmeme.com
www.instantmeme.com

Dépôt légal – Bibliothèque et Archives nationales du Québec, 2011

Catalogage avant publication de Bibliothèque et Archives nationales du Québec et Bibliothèque et Archives Canada

Deslauriers, Camille

Eaux troubles : nouvelles

ISBN 978-2-89502-311-1

I. Titre.

PS8607.E763E28 2011 C843'.6 C2011-941272-1
PS9607.E763E28 2011

L'instant même remercie le Conseil des Arts du Canada, le gouvernement du Canada (Fonds du livre du Canada), le gouvernement du Québec (Programme de crédit d'impôt pour l'édition de livres – Gestion SODEC) et la Société de développement des entreprises culturelles du Québec.

L'auteure remercie le Conseil des arts et des lettres du Québec pour son appui financier.

À Francis, qui m'aide à tenir la barre, en eau calme comme en eau trouble.

Le rêve est très utile, c'est même la meilleure façon d'apprivoiser la réalité.

Jacques POULIN, *Les yeux bleus de Mistassini.*

Cent quatre-vingts degrés

Nicolas dessine. Audrey, la psychologue de l'école, a beau répéter ses questions le plus gentiment possible, essayer de le faire parler de sa passion pour les arts plastiques, de ses auteurs de bédé préférés, de la musique qu'il écoute dans ses temps libres, des rêves qu'il a faits récemment, de n'importe quoi hormis du drame familial qu'il vit depuis quelques mois, Nicolas ne répond pas.

Il dessine.

Des avions, des obus, des blessés. Et un immense fleuve rouge, avec des corps à la dérive. Beaucoup de corps à la dérive. Des casques, des armes, des uniformes qui se liquéfient, deviennent des algues noires en forme de visages qui hurlent.

Une heure, des dizaines de bouches qui crient et un long silence obstiné. Une fois de plus, la consultation se termine comme elle a commencé : par un trait de crayon.

* * *

Nicolas dessine. Au lieu de répondre aux questions de l'examen de mathématiques, il dessine. D'abord sur le questionnaire, ensuite sur la feuille-réponse. Entre les colonnes de chiffres, les parenthèses et les racines carrées pousse une dangereuse végétation. Des arbres morts, dépouillés de leurs branches, qui ressemblent à des pieux. Avec son rapporteur, Nicolas s'amuse à mesurer précisément les angles aigus et la hauteur de chacune des cimes, bientôt pointues comme des lames.

Quand on fait pivoter le dessin de cent quatre-vingts degrés, la forêt prend les allures d'une dentition asymétrique dont le ciel et la terre seraient les lèvres. Les lèvres d'un monstre. Des cadavres de soldats plein la gueule.

Et du sang. Beaucoup de sang qui dégouline des commissures.

Quelle est la racine carrée de la haine ? Le désespoir se résume-t-il à un chiffre premier ? Quelle est la somme des familles estropiées par la guerre ?

Nicolas déchire bruyamment son dessin et toutes les têtes se tournent, accusatrices. L'examen compte pour vingt-cinq pour cent de l'étape.

Même s'il dérange les autres élèves, Solange Sansregret ne dit rien. La Sansregret n'a aucune autorité. Dommage. Cette fois, elle n'aura pas le plaisir de souiller sa copie d'un énorme zéro rouge dans la marge.

Comme d'habitude, à la fin de la période, elle va l'envoyer chez le directeur.

Nicolas s'en fout.

Quatre moins un égale trois égale guerre. Après tout, un père porté disparu en Afghanistan, ça ne changera pas grand-chose à la vie de sa famille. Il n'était jamais là. Ou presque.

* * *

Gauthier, le prof de français, est malade.

Mais pour qui elle se prend, au juste, cette remplaçante à lunettes ? *On va écrire un récit vraisemblable où le héros vit une transformation psychologique.* Elle peut bien s'étouffer avec son schéma narratif, sa situation initiale, son élément déclencheur, sa situation finale, ses tournures interrogatives, ses verbes vivants et son sens figuré.

Non, il n'écrira pas.

Il va dessiner. Les verbes ne sont pas vivants. Les interrogatives seront toujours sans réponse. Et les pères se tuent au sens littéral.

On va écrire un récit vraisemblable. On va écrire un récit vraisemblable. Pour créer un personnage, la jeune enseignante propose de s'inspirer de photographies, qu'elle fixe au tableau les unes à la suite des autres, avec de la gomme bleue.

Les images sont mal disposées.

Parmi elles, la photographie d'un enfant étranger, endormi au milieu des ruines, dans un pays dévasté par la guerre. Un pays où les pères pourraient bien devenir des portés disparus peut-être morts.

Nicolas dessine l'enfant. Couché dans un panier d'osier. Ballotté sur un immense fleuve rouge, entre des corps à la dérive. Beaucoup de corps à la dérive. Des casques, des armes, des uniformes qui se liquéfient, deviennent des algues noires en forme de visages qui hurlent.

L'enseignante s'approche de Nicolas. Étonnamment, elle ne semble pas rebutée par la violence qui éclabousse le blanc de sa page. Elle se dit même touchée par son sens de la métaphore et son extrême souci du détail.

La métaphore ?

Et si tu dessinais ton récit dans des petites cases, comme si c'était une bande dessinée ?

Nicolas dessine. Et peu à peu, à son insu, les bulles se greffent aux bulles, les mots se greffent aux mots. C'est l'histoire d'un père qui a abandonné son fils parce qu'il aimait mieux les enfants de l'autre bout du monde.

* * *

Nicolas dessine. Sa nouvelle professeure de français, *full plus cool* que Gauthier, a proposé qu'il devienne le caricaturiste officiel du journal de l'école.

Cent quatre-vingts degrés. Nicolas sourit.

De bulle en bulle, de mot en mot, de père en père, quand on invente, on peut même changer le cours de sa vie.

Ancolie

Non. Jacinthe Sénéchal, la professeure d'arts plastiques, n'a pas raison. Moema n'est pas *encore dans la lune*. Elle s'invente une existence végétale. Elle s'enfonce dans la jungle des « si j'étais ». Si j'étais liane, si j'étais lierre, si j'étais lichen…

Peindre une nature morte à la manière de Cézanne ou de Chardin ne l'intéresse pas. À peine deux coups de pinceau et, déjà, elle divague, elle délire, elle s'envole loin de son corps de mulâtre filiforme à la tignasse crépue. Elle décline sa vie dans tous les tons de vert : pomme, olive, pistache, tilleul, amande, avocat, algue marine.

* * *

Non. Moema n'est pas dans la lune. Elle *végète* au sens poétique du terme.

Il a suffi d'une réprimande de monsieur Gauthier, le professeur de français, pour qu'elle mette enfin un vrai mot, un beau mot, un mot singulier, coloré, lumineux comme une émeraude, sur ce que tout le monde appelle son déficit d'attention. Déficit. Ce mot est tellement laid. Il évoque l'économie les mathématiques le déséquilibre. L'impasse. Et les visites chez le neuropsychologue.

Mademoiselle Moema, arrêtez de végéter et remettez-vous au travail. « Végéter ». Moema a tout de suite adoré ce verbe. Elle en a vérifié le sens dans son dictionnaire. Et de là : végétal cellulose collodion, polymère thallophyte bactérie. Parasites. Subitement, toute la classe qui attrape des poux.

Quand elle ouvre le dictionnaire, Moema y saute à pieds joints, telle une enfant dans une flaque d'eau boueuse, et elle éclabousse allègrement le réel. Du coup, plus de cours de français. Plus de mode impératif. Exit les pronoms les radicaux les terminaisons. Même plus de monsieur Gauthier. Après quelques bonds, elle ne prend plus le temps de lire les définitions. Elle prononce les mots dans sa tête, les répète, les associe, les emboîte. Elle en fait un casse-tête sonore et elle rigole, elle rigole, elle rigole. On finit toujours par l'envoyer chez le directeur.

Même si elle n'arrive pas à écouter la voix nasillarde de monsieur Gauthier plus de dix minutes, Moema préfère cet enseignant à tous les autres. Avec son regard d'insecte et ses deux rosettes qui lui donnent l'air d'avoir des antennes, monsieur Gauthier pressent des choses que les autres professeurs ne voient pas. Son amour des mots et les vies parallèles qu'elle mène dans les marges des leçons de grammaire ou d'analyse littéraire, par exemple.

* * *

Un autre cours de français sans monsieur Gauthier.

Non, elle n'est pas *dans la lune*.

La remplaçante à lunettes qui s'entête depuis une semaine à leur faire écrire de la poésie n'aurait jamais dû lire le texte de Moema à haute voix, en guise d'exemple, devant toute la classe. *Si j'étais végétale, je serais ancolie.*

Depuis, chaque jour d'école est un pétale qui tombe.

Tête de cresson.

Quelqu'un, derrière elle, vient encore de lui crier ce surnom affreux. *Tête de cresson.* Une taloche derrière la nuque en prime. Leurs rires sonores de Blancs qui se croient supérieurs avec leur teint si clair, leurs cheveux blonds leurs cheveux roux leurs cheveux bruns, si doux si minces si lisses.

Tête de cresson. Tout ça à cause d'une métaphore. Si j'étais végétale. Ils auraient pu rire de n'importe quoi : de ses yeux en amande, de ses seins pas plus gros que des prunes, de ses lèvres couleur cannelle, de ses bras aussi noueux que des branches chétives. Mais il a fallu qu'ils s'attaquent à ses cheveux, crépus comme du cresson sauvage.

Moema se réfugie dans son dictionnaire. Une fois de plus, elle saute de mot en mot. Éclabousse la rangée de cancres assis derrière elle. Leur teint si clair, leurs cheveux blonds leurs cheveux roux leurs cheveux bruns, leur tête lisse : souillés d'eau glauque, de goudron, de cambouis. Elle rigole ferme.

* * *

Audrey, la psychologue de l'école, est tellement plus *cool* que monsieur Shentam, le neuropsychologue. Dans son bureau, Moema peut s'inventer une existence végétale à voix haute. Devenir un lierre. Encore aujourd'hui, Audrey lui a demandé de *faire vraiment comme si*. Et de lui décrire ce qu'elle ressentait. Alors, Moema se déploie, rhizome par rhizome. Elle sent la longue tige de son corps de mulâtre qui se ramifie. Qui allonge, allonge, allonge. Avec ses racines adventives, elle s'agrippe aux fissures du mur extérieur de l'école. Elle pousse, elle s'étend, se répand comme de la mauvaise herbe pour envahir toute la paroi et recouvrir enfin le graffiti écrit en lettres noires sur briques sales : *Tête de cresson as ugly as sin.*

* * *

Si j'étais végétale, je serais rossolis, je serais droséra, je serais carnivore. Moema imagine. Exactement comme elle l'a fait dans le bureau d'Audrey. Elle se déploie. Feuille par feuille. Rosette par rosette. Elle imagine la longue tige de son corps de mulâtre qui allonge, allonge, allonge, et elle penche ses tentacules au-dessus de la tête de ce faux professeur de français qui lui demande encore si elle est dans la lune.

Happer la remplaçante à lunettes. L'engluer, l'engourdir. La broyer. Entendre distinctement les craquements des os de son crâne.

Moema se concentre très fort et toute la classe se demande pourquoi la suppléante court ainsi après son souffle.

* * *

Nue et ruisselante, devant le miroir de la salle de bains, Moema vient de prendre une décision irrévocable.

Il suffit d'une paire de ciseaux.

Ses cheveux crépus : des pétales qui tombent. Boucle noire après boucle noire. *Si j'étais ancolie dans le vent.* Moema imagine. Dans le lavabo, sur le comptoir, sur le plancher s'accumulent des pétales roses, des pétales blancs, des pétales bleus.

Le blaireau de son père, beaucoup de crème à barbe, une lame neuve : complètement rasé, le crâne.

Plus jamais de tête de cresson.

Moema se regarde. Ni Noire ni Blanche. Si verte si rieuse si vivante, à l'intérieur. Elle se trouve beaucoup plus jolie ainsi. Ses lèvres pulpeuses. Ses cils interminables. On dirait que sa nouvelle tête de marron chauve rehausse l'amande de ses yeux.

À cheval sur un grain de pollen, Moema franchit la porte et survole la colère de ses vieux.

Ou presque

Le secret d'Émilie a un goût d'orange. Une orange juste un peu trop sure. Qu'elle avale en vitesse dès que la cloche du dîner a sonné et qui lui permet de tenir le coup jusqu'au prochain repas. Ou presque.

Le secret d'Émilie a l'odeur d'un minuscule local de béton poussiéreux situé au sous-sol du collège. Il résonne comme le *la* cristallin d'un violon qu'on accorde. Enfin. Le bonheur. Tous les midis, une heure et quart de répétition en compagnie de Schradieck et de Dvořák.

Le secret d'Émilie a la texture d'un bâton de céleri cru. Juste un peu trop dur, juste un peu trop vert. Qu'elle consent parfois à croquer entre les cours, question de faire taire cet estomac qui chante faux – sans risquer de prendre une once.

Émilie rêve d'éplucher son corps comme un fruit. Enlever toutes ces couches de chair inutile qui recouvrent son âme, se peler jusqu'à la transparence, jusqu'au noyau d'elle-même. Ne garder que l'essence : la musique.

Si sa mère savait. Tous les matins, la boîte à lunch systématiquement vidée de son contenu dans la poubelle de l'arrêt d'autobus.

* * *

Émilie peut tout dire à Audrey, la psychologue de l'école. Enfin, presque.

Elle peut parler de son impression de vivre en contrepoint d'elle-même quand elle ne joue pas du violon, elle peut parler de ses songes préférés, ceux où elle est si légère qu'elle vole à dos de libellule, elle peut même parler de son idole, Rebecka Vídek, la virtuose hongroise qu'elle a entendue l'an dernier à la Place des Arts, lors du Concours Musical International de Montréal. Maigre et droite comme un lutrin. Les phalangettes, le coude, l'épaule. Le bras aussi fin que l'archet. Si légère. Aérienne.

Avec Audrey, elle peut même parler de la méthode russe, une technique si difficile à maîtriser, et de Dimitri, son professeur de violon, très fier de ses progrès, mais terriblement exigeant. La méthode russe : index, majeur, annulaire, auriculaire comme s'ils étaient ficelés les uns aux autres, toute la main réunie en un seul doigt et fixée à l'archet tel un greffon.

Avec Audrey, ce n'est pas comme avec Céline, l'infirmière de l'école qu'elle a surnommée Sénile. Sénile la menace sans cesse de téléphoner à Estelle, sa mère, pour l'avertir que. Elle lui parle de portions raisonnables, de poids santé, de guide alimentaire canadien, de menstruations qui pourraient arrêter, d'anorexie, d'hôpital, et même de gavage. Gavage. Ce mot la dégoûte.

* * *

Gavage, gavage, gavage. Pour se venger de Sénile qui l'a encore convoquée dans son bureau afin de la menacer, Émilie vient de se faire vomir dans les toilettes du collège.

C'est la troisième fois aujourd'hui.

Ce n'est pas très difficile. Elle ferme les yeux, elle applique la méthode russe : index, majeur, annulaire, auriculaire comme s'ils étaient ficelés les uns aux autres, toute la main réunie en un seul doigt, et elle pousse bien fort au fond du gosier. Pendant ce temps, elle imagine. Qu'elle a le mal de l'air, comme c'est arrivé lorsqu'elle a pris l'avion la première fois pour aller en France, avec l'Orchestre des jeunes du Conservatoire. Ou alors, elle pense très fort à l'odeur du foie de veau, ce mets qu'elle déteste par-dessus tout et que sa mère s'entête à lui servir tous les jeudis soirs *parce qu'il contient 675 % des besoins quotidiens d'un adulte en vitamine A et 194 % des besoins quotidiens d'un adulte en vitamine B2.*

Régurgiter. OrangecélerivitaminesB2ASénileEstellemathématiqueschimieettoutletralala.

Régurgiter, ça reste un peu dégoûtant. Mais elle se sent si légère, après. Aérienne. Ou presque.

Si Estelle et Sénile se doutaient.

* * *

Cinq heures et quart de répétitions par jour. Deux le matin, après le départ d'Estelle et avant d'attraper l'autobus. Une heure et quart le midi. Deux autres le soir, après le retour d'Estelle, qui s'enorgueillit des progrès fabuleux d'Émilie et pense déjà à la robe griffée qu'elle portera au prochain concours des Jeunesses Musicales, en avril, pour épater la galerie quand elle accompagnera sa fille à la remise des prix. Et parfois, quand elle ose, Émilie se vole deux heures supplémentaires en compagnie de Bach, de Paganini et de Dvořák, car elle sèche ses cours de mathématiques et de chimie. L'odeur de béton poussiéreux et le *la* cristallin d'un violon qu'on accorde. Enfin. Le bonheur.

* * *

Une pomme verte et trois feuilles de laitue par jour, pas plus. Une pomme verte le matin plus deux feuilles de laitue romaine le midi et une feuille de laitue frisée le soir. Combien de calories, en tout ? Soixante-huit si elle mange la pelure, elle les a comptées. Les mathématiques sont parfois utiles. Et les mensonges aussi. Dire à Estelle qu'elle a soupé avant son arrivée pour pouvoir pratiquer une demi-heure de plus, qu'elle a fait réchauffer du foie de veau, des carottes et du brocoli alors que le broyeur de l'évier de la cuisine a tout avalé. Consentir à croquer du céleri entre les gammes, pour faire taire cet estomac qui chante de plus en plus faux – sans risquer de prendre une once.

D'ici le mois d'avril, devenir aussi légère qu'un *pizzicato,* aussi évanescente qu'un soupir, aussi parfaite qu'une cadence finale.

* * *

Le secret d'Émilie a maintenant la transparence d'un sac de soluté. Elle n'est plus qu'une harmonique d'elle-même.

Depuis trois jours, les événements se sont précipités. Deux cent huit à la noire, *accelerando* : les appels d'Audrey de Sénile du directeur, la panique d'Estelle qui n'avait rien remarqué ou presque parce qu'Émilie a toujours été filiforme, les jambes qui flageolent sur la scène en plein concerto de Dvořák au concours des Jeunesses Musicales, le fondu au noir l'ambulance l'hospitalisation. La déception de Dimitri.

* * *

Prise de sang, gastroscopie, néphrographie. Gavage. Tous ces examens et tous ces traitements l'effraient. L'impression de vivre si loin d'elle-même parce qu'elle ne peut plus jouer du violon *tant qu'elle ne sera pas guérie.*

Émilie ne comprend pas. Mais de quoi veut-on la guérir, au juste, en la clouant à ce lit d'hôpital aux draps rugueux ?

On peut mourir des conséquences de l'anorexie. Elle pourrait *en mourir.* C'est ce que le docteur Bourbonnais a répété hier.

Mourir ?

Pourtant si légère. Aérienne. Ou presque.

Maintenant ficelée au silence.

* * *

Ficelée au silence depuis si longtemps. Le cœur comme un métronome fatigué, qui bat quarante-quatre à la noire.

Hallucinations. Grappelli, Rebecka Vídek et Dvořák jouant une berceuse en trio, à cheval sur le dos d'une colombe géante. Ils s'envolent vers deux arcs-en-ciel siamois. Réminiscences de béton poussiéreux. Le noyau d'elle-même : un minuscule violon de sucre d'orge, au dégradé dans les tons de rose, de mauve et de rouge. Quarante à la noire. Tous ces masques verdâtres qui surplombent son visage. Émilie tend les bras. Attraper le violon. L'impression d'être une âme en contrepoint de son corps. Trente à la noire. Le son velouté d'un violon qui s'étire, s'étire, s'étire et qui fond comme du caramel. Le paradis. Ou presque. Si légère. Aérienne.

Frayeur d'Estelle et montée chromatique de ses cris. Panique d'Estelle, pressions du docteur Bourbonnais sur la cage thoracique, tente d'oxygène. Vingt-huit à la blanche. Déception de Dimitri. Dix-sept à la ronde. Épouvante d'Estelle, *faites quelque chose, mais faites quelque chose, il faut sauver ma fille.*

* * *

Trop tard.

Point d'orgue.

Le secret d'Émilie : le *la* funeste d'un bip continu, accordé au diapason de l'oubli.

*À plusieurs mers d'*elle

C'est le vertige qu'elle recherche.

Amélia l'a expliqué aux policiers, qui ne l'ont pas crue. Elle l'a répété à ses parents adoptifs, qui n'auraient jamais pensé que, pas leur petite Amélia, n'importe quelle autre adolescente, mais pas leur petite Amélia. Elle le redit maintenant à Audrey, la psychologue de l'école, qui lui demande si elle veut qu'on en parle.

Non, elle ne veut pas qu'on en parle.

C'est le vertige qu'elle recherche. Elle n'a rien à dire de plus. Elle n'a pas d'idées noires, elle n'est pas déprimée, elle ne voulait pas se suicider lorsqu'elle est montée sur le parapet du pont Jacques-Cartier. Eh non, elle ne veut surtout pas qu'on en parle.

Se *suicider*. Ce mot-là est trop laid.

Elle voulait se rapprocher d'*elle*. Être à moins de cinquante mètres d'*elle*.

Elle voulait danser dans le vent, danser pour *elle,* à moins de cinquante mètres d'*elle* et pourtant à plusieurs mers d'*elle*. Suivre prudemment le parapet comme si c'était une poutre, parfaire son équilibre de ballerine, le mettre à l'épreuve, aller toujours plus loin, jouer les nymphes célestes. Juste marcher au-dessus des eaux. Pour ressentir le vertige, ce grisant frisson qui l'électrise et lui prouve qu'elle est toujours vivante.

Vivante au-dessus du vide.

À plusieurs mers d'*elle*.

Mais vivante.

* * *

Amélia ferme les yeux. Chaque fois, elle ferme les yeux.

Elle se sent si près d'*elle,* quand elle danse. On dirait que ses chaussons à pointes lui donnent le droit de rêver. Le droit de s'élever au-dessus du précipice qui se creuse en elle un peu plus chaque jour.

Et elle danse, elle danse, danse, au centre du grand studio que ses parents adoptifs ont aménagé pour elle, au sous-sol de la maison familiale. Vole et virevolte. Pas chassé, grand écart, double vrille. Et elle tourne, tourne, tourne. S'imagine sur un pont suspendu, sur un pont qui n'existe pas, sur un pont qui traverse la mappemonde de part en part, fil invisible d'équilibriste qui relie Longueuil à la Thaïlande.

De l'autre côté, il y a sa mère.

Sa mère.

La vraie. Yeux bridés cheveux noirs peau d'ambre. Celle qui s'est liquéfiée dans l'océan Indien, il y a maintenant un peu plus de douze ans.

Amélia cherche à traverser de l'autre côté du silence.

* * *

Trois ans. Elle s'endort dans les bras de sa mère. Et se réveille dans un hôpital québécois.

Entre les deux, le vide. Nouveau prénom, nouvelle famille et sujet qu'on évite.

* * *

En parler avec Audrey ne donnerait rien.
Personne ne peut comprendre.

* * *

Amélia a revêtu son maillot, son tutu et ses ailes de mousseline. Elle a pris le métro. Est sortie à la station Jean-Drapeau.

Elle va monter sur le parapet. Peut-être même grimper plus haut. S'asseoir sur la clôture grillagée.

Se rapprocher d'*elle*.

On dit que tous les fleuves se jettent dans la mer.

Si près d'*elle*. À cinquante mètres à peine.

Non, elle ne veut pas se *suicider*. Ce mot-là est trop laid.

Un jour, elle s'envolera de l'autre côté du souvenir, plongera tête première jusqu'au fond du silence, dans un ultime vertige de papillon de nuit, là où sa vraie mère l'attend, yeux bridés cheveux noirs peau d'ambre, bercée entre deux algues.

D'ici là, paupières translucides et pupilles lapis-lazuli, de la profondeur des remous, *elle* lui sourit.

Toute l'année, l'éternité

Au commencement, il y eut une rotation de la cheville. Bas de coton blanc, mollet tendu, genou qui dépasse de la jupe à carreaux devenue trop courte depuis la dernière poussée de croissance. Tourne à gauche. Tourne à droite. Et à gauche. Et encore à droite.

Le cours de géographie est d'un ennui mortel. Tous les élèves cognent des clous. Contre vents et marées, l'enseignant tente de leur faire traverser l'Atlantique jusqu'au cercle polaire pour leur expliquer comment se forment les glaciers. Mais est-ce bien vers l'Atlantique qu'il pointe ses grosses mains d'homme préhistorique ? Perdue dans l'océan du vaste tableau noir, la mappemonde semble si loin.

Depuis qu'elle fréquente ce collège où toutes les filles se ressemblent à cause de l'uniforme, Marie-Ève a l'impression de vivre dans une brume fangeuse. L'avenir est informe. Rien n'importe vraiment, hormis la couleur du vernis à ongles et l'odeur du parfum qu'elle choisira de porter le lendemain. Marie-Ève pomme verte, Marie-Ève coco-citron, Marie-Ève mûre sauvage, Marie-Ève poire gourmande, Marie-Ève goyave des îles, Marie-Ève kiwi-carambole, Marie-Ève fruit de la passion. Comment fera-t-elle pour survivre encore quatre ans dans cette prison où l'on interdit tout, même le *piercing* ?

* * *

Et puis, il y eut un matin.

Un matin où elle surprit le regard du professeur de géographie.

Regard indiscret regard scrutateur regard de fouine qui glisse sur le bas de coton, lèche le galbe du mollet au passage, s'enroule sur le genou, tente de mener l'exploration jusque sous la jupe à carreaux devenue trop courte depuis la dernière poussée de croissance.

Tourne à gauche. Tourne à droite. Et encore à droite. Les yeux de Jérôme Saint-Gelais-l'Australopithèque : billes folles qui roulent et qui suivent chacune des rotations de la cheville.

Marie-Ève vit que cela était bon.

Cela : l'impression subite d'exister vraiment.

À la récréation, le défi lancé aux copines. *Une semaine pour séduire le prof de géo.*

* * *

Dès lors, l'avenir eut un prénom : Jérôme.

Mais comment faire pour attirer irrémédiablement son attention, dans ce collège où toutes les filles se ressemblent à cause de l'uniforme ?

Commentfairecommentfairecommentfaire.

En appliquant une première couche de laque transparente sur ses ongles d'orteils à ce point parfaits qu'on les dirait de nacre, Marie-Ève réfléchit. Relever ses cheveux avec une barrette pour mettre sa belle nuque bronzée en valeur ? En le regardant dans les yeux, détacher le deuxième bouton de son chemisier avant d'aller lui poser une question sur les langues glaciaires ? Embrasser devant lui un garçon de la classe, n'importe lequel, pourquoi pas le beau Nathan qui en rêve depuis la rentrée ? Que sait-elle de Jérôme Saint-Gelais, ce paléontologue-chômeur que le directeur a accepté de recycler en prof de géo, un drôle de prof qui collectionne les roches et que tous les élèves surnomment « l'Australopithèque » à cause de ses cheveux longs, de sa mâchoire proéminente et de ses manières un peu bourrues ?

Commentfairecommentfairecommentfaire.

D'abord, le suspendre à ses gestes. Juste devant lui, demain matin, une jambe appuyée sur le bureau – pour le laisser admirer ses longues cuisses sous la jupe devenue mini depuis la dernière poussée de croissance –, elle enlèvera son bas de coton, l'air de montrer ses talents de pédicure aux copines. Sous le vernis transparent, les petits motifs diamantés miroiteront comme autant de joyaux incrustés dans ses ongles parfaits.

Mais quel motif choisir ? Une fleur, une étoile de mer, un poisson, un scarabée, un papillon de nuit ?

Deux fleurs, deux étoiles de mer, deux poissons, deux scarabées, deux papillons de nuit. Dix merveilles cachées dans ses souliers comme autant de fossiles dans le roc.

* * *

Ainsi, il y eut un soir et il y eut un matin.

Ce matin-là, pour être certaine qu'il la remarque : un escarpin noir, un escarpin blanc. Exit les bas de coton, malgré les règlements de cette prison où l'on interdit tout, même le *piercing*.

Tourne la cheville à gauche. Tourne à droite. Et encore à droite. Lentement, l'escarpin noir glisse le long du mollet gauche vers le soulier blanc et, sensuellement, un pied libère l'autre de sa gangue de cuir. Sous le pupitre, cinq petits fossiles dansent au bout des orteils.

Ce matin-là, Jérôme Saint-Gelais-l'Australopithèque : un mammouth qui louche. Un œil fou, emporté dans la ronde séductrice ; un œil froid, qui veut l'envoyer chez le directeur pour infraction au code vestimentaire du collège.

À peine le temps d'imaginer la suite. La langue de Jérôme qui se faufile entre chacun des orteils. Les dents qui écorchent un peu le vernis. Le baiser qui s'enroule sur le genou avant de remonter, frétillant, jusqu'à l'antre secret de son être. *Marie-Ève Tanguay, t'as pas de bas. Va montrer ça au directeur.*

Va montrer ça au directeur. Va montrer ça au directeur.

Marie-Ève se lève, plonge son regard dans les yeux de cet homme trop préhistorique pour comprendre qu'elle est peut-être en train de tomber amoureuse de lui et, arrogante, enlève le deuxième soulier devant les copines qui rigolent.

Comme si elle foulait un tapis rouge, Marie-Ève franchit la porte du local et marche pieds nus jusqu'au bureau du directeur. Dix petits fossiles dansent au bout de ses orteils.

* * *

Cet homme est un glacier qui fond lentement mais sûrement. Quelques jours encore et il lui léchera les pieds.

Ce matin, par exemple, pendant l'examen de géographie. Il la laisse manger des bonbons sans rien dire. Deux sucettes entières. Cerise et raisin. À la troisième sucrerie : la certitude qu'il fait semblant de ne pas la voir pour mieux profiter du spectacle. Alors, le bâtonnet roule entre les doigts. Tout au bout, le bonbon tourne, tourne, tourne. La petite langue de Marie-Ève dépasse à peine des lèvres. L'air d'une enfant qui réfléchit. Atlantique, Pacifique, Antarctique ?

Atlantique, Pacifique, Antarctique, quelle importance ? Au lieu de répondre aux questions de l'examen, feignant mille précautions, Marie-Ève développe une quatrième sucette.

Froissements de cellophane. Effluves d'orange. D'un geste réprobateur, Jérôme lui indique de remettre la friandise dans son sac d'école.

Vrai ou faux. L'histoire des glaciers est une succession de crues et de décrues, d'apparitions et de disparitions, à des échelles de temps qui peuvent aller de la vie humaine aux ères géologiques. Les ères géologiques. Cet homme de Cro-Magnon va-t-il finir par remarquer le bijou qui brille de nouveau, provocateur, petite lune d'argent sur le bout de sa langue ? *Identifiez la ligne d'équilibre dans cette coupe schématique d'une calotte glaciaire.*

À quoi ça sert, la coupe schématique d'une calotte glaciaire, quand on veut séduire un homme ? La ligne d'équilibre. Tourne à gauche. Tourne à droite. Marie-Ève se voit marcher au-dessus des eaux, sur un fil d'équilibriste tendu comme un arc-en-ciel d'un bout à l'autre de l'horizon. Telle une déesse qui règne sur la mer et la terre. Rien n'est impossible. Comme dans les contes. Elle a le pouvoir de ressusciter tout ce qu'elle touche. Les poissons, les scarabées, les papillons renaissent de leurs cendres. La vie recommence sous ses ongles d'orteils.

Face aux variations saisonnières, les comportements des glaciers tropicaux sont différents de ceux des glaciers alpins. Alors que les glaciers alpins accumulent de la neige pendant l'hiver et fondent pendant l'été, pour les glaciers tropicaux, les deux processus se produisent en même temps. Vrai ou faux ? Des glaciers tropicaux ? Impossible ! Ce Jérôme Saint-Gelais-l'Australopithèque les prend vraiment pour des valises ou quoi ?

Atlantique, Pacifique, Antarctique, quelle importance ? La valise de Marie-Ève est toujours prête, son père est tellement riche qu'elle pourrait choisir n'importe quelle destination sur la planète. Mais elle préfère le Sud. De toute façon, tous les paradis se ressemblent. Pourvu qu'ils soient situés au bord de la mer et qu'on puisse se faire bronzer en bikini avec un *slip tanga*.

Le Sud. La plage. Le sel sur la peau et le sable incrusté sous les ongles.

En attendant les prochaines vacances, devant le bonbon qui tourne, tourne et tourne comme un soleil sucré entre ses doigts, Marie-Ève doit se contenter de rêver qu'elle sirote une vodka-jus d'orange. Un petit parasol de papier dans une main et, dans l'autre, une cerise qu'elle taquine du bout de la langue pour attirer l'attention du *life-guard*.

Soudain, deux mains gigantesques la ramènent au réel. Une poubelle vient d'atterrir sur sa copie d'examen.

Toute la classe rigole. Jérôme Saint-Gelais-l'Australopithèque, lui, n'a pas l'air de s'amuser du tout. Rageur, il cogne la corbeille sur le bureau, à répétition, pour lui indiquer d'y jeter le bonbon.

Marie-Ève plonge son regard dans les yeux de ce professeur de Neandertal qui ne veut rien comprendre à l'amour et, d'un coup de dent contestataire, sépare le bonbon du bâtonnet. Et elle croque, elle croque, elle croque. Bruyamment et fièrement.

Une semaine pour séduire le prof de géo.

Marie-Ève a peut-être perdu son pari, mais elle vient d'avaler le soleil.

Après tout, n'a-t-elle pas toute l'année devant elle… ?

Toute l'année, l'éternité.

De l'eau sur les poumons

Pierre-Luc est une huître.

Ballotté par les accords en arpèges qui se répètent et se répètent et le plongent, comme à l'infini, dans les profondeurs de sa peine, Pierre-Luc se cale dans sa berceuse qui couine et il se balance, il se balance, il se balance. Avant, arrière. Avant, arrière. Avant, arrière.

T' as l'air d'un débile profond. C'est tout ce que sa mère trouve à lui dire pour le réconforter.

La vache.

Cognac avait treize ans. C'est vrai, Cognac avait des problèmes cardiaques et il avait de l'eau sur les poumons. Mais il aurait pu vivre encore plusieurs mois. Ou même un an, peut-être. Le vétérinaire l'avait précisé.

La vache.

En faisant piquer Cognac, elle a euthanasié son enfance.

* * *

Sa mère lui parle, mais il ne l'écoute pas. D'après ce qu'il peut lire sur ses lèvres, elle essaie encore de le raisonner. Des âneries. Comme : *Tout le monde s'entend pour dire qu'il fallait abréger ses souffrances*. Sans broncher, blotti dans la coquille formée par ses deux écouteurs, Pierre-Luc ferme les yeux. Qu'elle radote toute seule.

La vache.

Elle a décidé d'abréger les souffrances de son chien pendant qu'il était à l'école. Il n'a même pas pu dire adieu à Cognac. Il n'a même pas pu lui tenir la patte pendant qu'il poussait son dernier soupir. Si au moins elle avait eu la décence de l'avertir, avant de.

À cause d'elle, Cognac n'a pas eu la mort qu'il méritait. Une mort digne d'un meilleur ami. Une mort digne d'un frère.

* * *

Avant, arrière. Avant, arrière. Avant, arrière.

Avant-hier, juste après l'école, pas de Cognac qui couine pour l'accueillir. *Où est Cognac ?* Quand sa mère a consenti à lui avouer son crime, Pierre-Luc s'est enfermé dans sa chambre. Il a pigé un CD au hasard dans la pile des disques que son père n'est jamais revenu chercher après le divorce. *Glassworks*. Depuis, quand il est à la maison, il l'écoute à répétition, même s'il n'aime pas ce genre de musique, parce que ça énerve sa mère. Et c'était un signe, il en est convaincu. Peut-être même un message de Cognac. Pierre-Luc a lu sur Internet que les âmes des morts rôdent au moins trois jours auprès des gens qu'ils aiment, et qu'ils tentent parfois de communiquer avec eux avant de mettre les voiles.

« Opening », « Floe », « Island », « Rubric », « Facades », « Closing ». Pierre-Luc cherche à décrypter le sens caché derrière l'enfilade de titres qui s'assemblent et forment une phrase elliptique.

« Closing ». Abréger les souffrances de Cognac. Le laisser partir. L'endormir pour toujours. Pierre-Luc n'en peut plus de sa mère et de ses euphémismes. Elle le traite vraiment comme un bébé.

Gauthier, le prof de français enrichi, serait fier de lui : malgré toute sa peine, Pierre-Luc a retenu la leçon d'aujourd'hui sur les figures de style.

Partir, partir, partir. Pour aller où ? Existe-t-il un paradis pour les chiens ? Existe-t-il un paradis tout court ? Qu'est-ce qu'on devient, après la mort ? Qu'est-ce que ça donne d'endurer la vie sans son meilleur ami s'il n'y a rien ensuite, ni jugement dernier ni récompense à la fin de ses jours, ni examen ni note finale ?

Fatigante. La voilà encore qui tambourine contre la porte de sa chambre. Non, il ne révisera pas ses mathématiques même si l'examen, demain, compte pour vingt-cinq pour cent de l'étape. Va-t-elle le laisser tranquille, enfin ? Elle ne peut pas comprendre. Il n'a jamais respiré sans son chien.

* * *

Comme s'il voulait prédire son avenir, Pierre-Luc ouvre son manuel de mathématiques enrichies, au hasard, dans les derniers chapitres du livre. Une balade dans le monde des polyèdres. Le titre de cette leçon est stupide. Réguliers, semi-réguliers, convexes, non convexes ? Combien de faces, combien de sommets, combien d'arêtes ? Pierre-Luc étouffe. Il a l'impression d'être prisonnier d'un tableau d'Escher, pareil à ceux que Jacinthe Sénéchal-Prozac a projetés hier durant le cours d'arts plastiques.

Il ferme les yeux et prend une longue inspiration. Expire, inspire, expire. Quand il se concentre très fort, Cognac est toujours vivant. Il peut sentir le souffle chaud de son chien qui halète, son haleine fétide, son museau humide contre sa joue.

Cognac, no kiss. Malgré l'interdiction, la langue rêche qui lèche tout le visage, du menton jusqu'au front.

Il aurait dû deviner. S'il n'était pas allé à l'école, ce matin-là, Cognac serait toujours vivant. Malade, mais vivant.

La vache.

* * *

Dans les bras de sa mère : deux grands yeux mordorés qui louchent et une queue hirsute qui oscille dans tous les sens. *N'est-il pas mignon ? On pourrait l'appeler Junior.*

Pour toute réponse, Pierre-Luc claque la porte de sa chambre le plus brutalement qu'il le peut.

C'était à prévoir : elle a eu l'idée stupide d'adopter un nouveau chien. Une semaine seulement après la mort de Cognac. Un chiot qu'elle a sans doute choisi au hasard, dans la vitrine de n'importe quelle animalerie, pour se débarrasser de son fils et de sa peine : on va prendre celui-là, de toute façon, les Golden Retriever se ressemblent tous, couché debout fais le beau donne la patte, bon chien, *no kiss,* bon chien, *good dog.*

La vache.

Pour qu'elle comprenne bien l'ampleur du sacrilège, Pierre-Luc hausse le volume de sa chaîne stéréo au maximum.

« Floe ». Dans les haut-parleurs, Jon Gibson et son saxophone hurlent à sa place la douleur qu'il n'arrive pas à laisser déferler. S'il le faut, il défoncera les *tweeters.* Pleurer lui ferait pourtant du bien. Mais il est grand, maintenant, et même lorsqu'il est seul dans sa chambre, il n'y arrive plus. Après le divorce de ses parents, il y a trois ans, ses yeux sont devenus des labyrinthes dont les larmes ne trouvent plus la sortie.

La vache.

Elle croit sans doute se faire pardonner en lui offrant ce toutou. Elle croit peut-être qu'il va tomber sur-le-champ en amour avec le chien-chien, que les animaux sont interchangeables, que n'importe quel pure race peut remplacer Cognac comme ça, pourvu qu'il soit blond, qu'il ait deux grandes oreilles et une longue queue qui s'agite quand il est content.

Pourtant, sa mère le sait très bien : Cognac n'a jamais été un simple animal de compagnie.

Un frère, ça ne se remplace pas.

Junior. *Full* quétaine, le nom. Sa mère n'a donc aucune imagination ?

Surtout, que l'intrus ne touche pas aux affaires de Cognac !

Pierre-Luc sort de sa chambre en trombe et fait le tour de la maison en confisquant tout ce qu'il trouve. Le coussin de Cognac, les bols de Cognac, les croquettes de Cognac, les biscuits de Cognac, les jouets de Cognac : Pierre-Luc s'empresse de tout mettre sous clé, dans son vieux sac de hockey poussiéreux.

Ce chiot n'aura rien.

Pas même un câlin de lui.

* * *

« Facades ». Pierre-Luc se cale dans sa berceuse qui couine et il se balance, il se balance, il se balance. De l'autre côté de la porte, sa mère crie qu'elle va devenir folle, il sait très bien qu'elle n'a jamais aimé Philip Glass, toutes ces phrases répétées en boucle et ce saxophone qui n'en finit plus de cracher sa peine depuis quinze jours la font halluciner parce qu'ils lui rappellent Simon, elle dit qu'il le fait exprès, qu'il a fait exprès de choisir un vieux CD de son père pour la faire enrager, il pourrait au moins porter ses écouteurs, il devrait se faire une raison, Cognac souffrait depuis des mois et il les implorait de l'aider à s'en aller, on pouvait le lire dans ses yeux, c'est de la complaisance de s'enfermer ainsi dans sa peine.

De la complaisance ?

Pierre-Luc cherche le mot dans son dictionnaire. *Sentiment dans lequel on se complaît par faiblesse, indulgence, vanité.*

La vache.

De la complaisance. Après seulement quinze jours.

Comment peut-elle prétendre savoir ce que Cognac voulait vraiment ? Cognac voulait mourir en paix. Cognac voulait mourir dans son sommeil, au pied du lit de son frère.

* * *

Comment a-t-elle osé ? La voilà qui se cale dans *sa* berceuse pour nourrir ce cabot au compte-gouttes.

T'as l'air d'une débile mentale. Sors de ma chambre.

Junior n'est pas encore sevré, il n'a que cinq ou six semaines et il était abandonné, explique sa mère en pleurant. *C'est mon patron qui l'a trouvé par hasard lors d'une randonnée de ski-doo. Il l'a échappé belle. Il aurait pu mourir de froid. Regarde. Il avait des engelures aux pattes et une blessure tout le long du museau.*

Pierre-Luc observe le chiot.

Jusque-là, il n'avait rien remarqué. Comme tranché en deux, le regard. Une si longue cicatrice sur une si petite tête. Sur chacune de ses grosses pattes rondelettes, il manque du poil et, par endroits, la peau est plus pâle, comme si de minuscules îlots de glace s'étaient incrustés entre les coussinets. Il ressemble à un toutou d'exposition à qui on aurait greffé des pattes d'ourson maltraité.

* * *

« Opening ».

Ballotté par les arpèges qui se répètent et se répètent et le plongent, comme à l'infini, dans les profondeurs de sa peine, Pierre-Luc se cale dans sa berceuse qui couine. Avant, arrière, avant.

Et il pleure, il pleure, il pleure. Tant pis s'il a l'air d'un débile profond, ça lui fait du bien.

Le petit Golden Retriever dort sur ses genoux.

Ce chiot n'est pas Cognac. Ce chiot ne remplacera jamais Cognac. Ce chiot n'est pas son frère et il ne le sera jamais. Mais Pierre-Luc n'a pu s'empêcher de prendre la petite boule de poils aux pattes étoilées d'îles, lorsqu'elle a levé vers lui son regard de chien qui l'a échappé belle.

Du fond de sa chambre, par la porte entrouverte, Pierre-Luc crie à sa mère : *Full quétaine, Junior. On va plutôt l'appeler Islander.*

Loin, si loin derrière les autres

> *– Et le Poète dit qu'aux rayons des étoiles*
> *Tu viens chercher, la nuit, les fleurs que tu cueillis ;*
> *Et qu'il a vu sur l'eau, couchée en ses longs voiles,*
> *La blanche Ophélia flotter, comme un grand lys.*
>
> Arthur RIMBAUD, « Ophélie ».

Dans le miroir des toilettes pour filles, au premier étage du collège, Olga se regarde.

Blanche comme un lys. Pas de maquillage, pas de teinture, aucun bijou.

Une fois de plus, elle a l'impression de flotter, loin, si loin derrière les autres. Elle n'a aucune affinité avec ces nanas qui profitent de la récréation pour retoucher leur coiffure ou se remettre du *gloss* sur les lèvres.

Et pourtant. Tout le monde aime Olga, tout le monde veut travailler en équipe avec Olga, tout le monde souhaiterait être l'ami d'Olga.

Olga est si drôle. Avec Olga, les copines sont toujours certaines d'en voir de toutes les couleurs. Mauve colère quand elle imite Jérôme Saint-Gelais-l'Australopithèque, le prof de géo, qui cogne avec la poubelle sur le bureau de

Marie-Ève Tanguay pour qu'elle y jette son bonbon. Rose tendresse quand elle se prend pour Béatrice-Marie-Madeleine Migneault, l'animatrice de la vie spirituelle et de l'engagement communautaire, qui demande, de sa voix mielleuse, *Mais toi, Olga, qu'est-ce qui t'a touchée ?* Bleu panique quand elle mime l'asphyxie d'Amélie Larose, la suppléante qui ne cesse de courir après son souffle sous l'effet de la nervosité. En sortant du cours de français, tout à l'heure, Olga l'a d'ailleurs coiffée d'un surnom hilarant : Amélie Larose-Mauve-pourpre-incarnat-écarlate-et-fauve.

Olga ne ressemble à personne, mais elle peut ressembler à n'importe qui.

Olga n'est pas d'ici. Elle n'est de nulle part. Née en France, elle a déménagé au Maroc juste avant sa première année du primaire, redéménagé en Grande-Bretagne quatre ans plus tard, puis au Canada au début du secondaire. Tout ça à cause d'un père diplomate.

Sa vraie terre natale est une scène de théâtre.

* * *

Olga toise son reflet dans la glace de la salle de bains familiale.

Quand elle est de bonne humeur, ses longues tresses brunes dansent dans son dos et son rire est si contagieux qu'il peut attraper tout le monde dans son filet. Quand elle est de mauvaise humeur, tout ce qu'elle touche se flétrit.

Ce matin, par exemple, rien à faire. Ses cheveux sont ébouriffés et son chemisier a l'air d'un vieux papier de soie récupéré.

Hier, Bernard Vendel, le professeur d'art dramatique, a choisi une autre fille de la troupe pour interpréter Ophélie dans l'adaptation d'*Hamlet* qu'ils joueront à la fin de l'année.

Olga Lusignan, tu ne sortiras pas d'ici sans avoir repassé ton uniforme. Tu n'as pas honte de partir pour le collège avec un chemisier aussi froissé ?

Non. Olga n'a pas honte. *Bernard Vendel est un nul qui devrait céder sa place à quelqu'un de plus compétent.* Lors de l'audition, elle était bien meilleure que Marie-Liesse. Elle le sait. Sa mère ne peut pas comprendre. Il s'agissait d'Ophélie. La triste Ophélie. *Ô pâle Ophélia ! belle comme la neige ! Oui tu mourus, enfant, par un fleuve emporté. C'est que les vents tombant des grands monts de Norvège t'avaient parlé tout bas de l'âpre liberté.*

À contrecœur, Olga passe et repasse le fer chaud sur le coton, toujours au même endroit, pendant qu'elle passe et repasse la scène de l'audition dans sa tête. Le col du chemisier sent le roussi, l'éclairage vire au rouge et les traits de Bernard Vendel s'étirent comme un masque de cire qui se fige en une éternelle grimace liquide.

* * *

Bernard Vendel a fait un AVC. Il ne peut plus parler : il est à demi paralysé.

La rumeur se déroule de classe en classe comme un long voile funèbre.

À l'heure de midi, la troupe de théâtre se réunit dans le local où ont lieu les répétitions, au sous-sol du collège.

PauvreBernardpauvreBernardpauvreBernard. Il ne peut plus parler ! Quel épouvantable malheur pour un homme de théâtre ! Il ne sera plus que le fantôme de lui-même. Par respect pour lui, doit-on annuler les représentations du Shakespeare prévues à la fin de l'année ? Mais non ! Le plus beau cadeau à lui offrir ne serait-il pas, justement, de réaliser son rêve ? Mais qui pourrait le remplacer à la mise en scène ?

Une fois de plus, Olga a l'impression de flotter, loin, si loin derrière les autres. Bercée par les vers de Rimbaud qu'elle répète dans sa tête, telle une incantation, elle dérive. *Les saules frissonnants pleurent sur mon épaule. Sur mon grand front rêveur s'inclinent les roseaux.* Bientôt, elle devient l'Ophélie de John Everett Millais, dont la robe végétale plonge ses racines dans l'eau de l'étang.

* * *

Jérôme Saint-Gelais-l'Australopithèque n'en finit plus de projeter des images d'icebergs, de banquises et de glaciers.

Bernard Vendel a fait un AVC.

Dans le miroir grossissant de son imagination, Olga passe et repasse la scène de sa crise de jalousie de la semaine dernière.

Et si c'était sa faute ?

Sa grand-mère paternelle ne répète-t-elle pas sans cesse qu'avec la foi, on peut soulever des montagnes ? Sous l'emprise de la colère, n'a-t-elle pas dit à sa mère que Bernard Vendel méritait de perdre son poste ?

Tout ça à cause de Marie-Liesse.

La belle Marie-Liesse, la mince Marie-Liesse, Marie-Liesse-Boucles-d'or-teint-de-lait-yeux-bleus, Marie-Liesse A+, la chouchoute perpétuelle.

Marie-Liesse ne mérite pas le rôle d'Ophélie. Elle n'a aucun talent d'actrice. Si seulement elle pouvait changer d'école. Ou se casser une jambe. Ou se faire écraser par un tracteur semi-remorque.

Olga se trouve méchante. Mais elle ne peut s'empêcher d'imaginer sa rivale sur une pente de ski aussi abrupte que la pointe d'un iceberg. Et crac. La jambe qui casse d'un coup sec. Le tibia à la verticale et les bâtons de ski en l'air. La belle tête blonde : fracassée sur un bloc de glace aussi dur que du roc.

Voici la Marie-Liesse-Boucles-d'or-teint-de-lait-yeux-bleus qui tourne autour de Jérôme l'Australopithèque et qui minaude en feignant d'admirer les stries sur la collection de galets qu'il a ramenés d'une expédition dans le nord de la Saskatchewan.

Une vraie lèche-bottes.

* * *

Olga n'arrive plus à croiser son reflet sans apercevoir, en toile de fond, le spectre de Bernard Vendel dont la bouche, molle et gluante comme une algue, semble tremper ses racines dans l'eau de tous les miroirs.

Et pourtant. Même si elle a parfois l'impression de s'enliser dans son délire coupable, Olga feint la bonne humeur. Encore ce matin, son imitation de Jacinthe Sénéchal-Prozac en admiration devant son transparent du *Bœuf écorché* de Rembrandt a déclenché l'hilarité générale en plein cours de mathématiques. Solange Sansregret, qui cachait très mal son fou rire, l'a tout de même envoyée chez le directeur.

* * *

Comment te sens-tu, Olga ? Une question banale, un lundi matin banal et une débâcle qui emporte tout sur son passage, les glaces, les scories, les noyés. Sans reprendre son souffle, debout dans le couloir, en vrac, Olga confie tout à Béatrice Migneault : elle a toujours rêvé de jouer l'Ophélie de Shakespeare et Marie-Liesse-Boucles-d'or-teint-de-lait-yeux-bleus n'a aucun talent, elle se sent responsable de l'AVC de Bernard parce qu'elle a dit qu'il devrait céder sa place à quelqu'un de plus compétent la veille de l'accident, elle ne cesse de souhaiter du malheur à Marie-Liesse et elle a peur de provoquer une autre catastrophe, genre : que Marie-Liesse fasse une commotion cérébrale ou se fasse écraser par un autobus, comme une sorte de magie noire qu'elle ne maîtriserait pas et qui commence toujours par des visions. La preuve, quand elle est de mauvaise humeur, les appareils électroniques arrêtent de fonctionner normalement : son réveil, sa montre, son ordinateur et, l'autre jour, la lampe du projecteur de Jérôme Saint-Gelais-l'Australopithèque qui s'est éteinte parce qu'elle en avait marre de regarder encore des diapositives de glaciers qui se ressemblent tous.

Béatrice affirme qu'il s'agit de pures coïncidences.

Des coïncidences ?

C'est un hasard, Olga, si Bernard est tombé malade à ce moment-là. Si je comprends bien, ça t'a beaucoup touchée. Veux-tu venir dans mon bureau pour qu'on en parle ?

Ça t'a beaucoup touchée. Veux-tu qu'on en parle ? Toujours les mêmes questions-réponses de perroquet.

Mais Olga s'entend marmonner *oui*. Une part d'elle-même veut bien qu'on en parle.

Elle a l'impression de flotter derrière Béatrice-Marie-Madeleine Migneault. Dans le couloir, la voix apaisante de l'animatrice la guide comme un phare mystérieux.

C'est bien la première fois qu'elle ne se cache pas derrière un personnage à l'école. Comme si elle entrapercevait tout à coup son véritable reflet dans un miroir nappé de brume.

* * *

Elle va jouer Ophélie ! Elle va jouer Ophélie ! Elle va jouer Ophélie ! *Marie-Liesse a décidé d'assister Amélie Larose-*

Mauve-pourpre-incarnat-écarlate-et-fauve à la mise en scène ! En annonçant la nouvelle à ses parents, Olga saute au cou de sa mère, qui se demande ce que ça change au juste. *L'important, ce n'était pas d'avoir un rôle et de relever un nouveau défi ?*

Sa mère ne comprend vraiment rien.

Voici plus de mille ans que sa douce folie murmure sa romance à la brise du soir. Depuis l'enfance qu'elle a l'impression de flotter si loin, loin derrière les autres, *sur l'onde calme et noire où dorment les étoiles.*

* * *

Olga est dans la loge. Elle se regarde dans la glace et elle se trouve belle.

Blanche comme un lys. Habillée d'une robe de papier cellophane vert sur lequel on a fixé des quenouilles, du varech et du lichen. Ses cheveux englués par la gelée de pétrole collent à son dos comme de longues algues noires.

Dans moins de quinze minutes, elle sera Ophélie.

Avant d'entrer en scène, il faut faire taire cette *voix des mers folles* qui l'érode depuis des mois en lui reprochant d'avoir provoqué la paralysie de Bernard Vendel.

Inspire, expire, inspire. Comme Béatrice-Marie-Madeleine Migneault le lui a appris dans les ateliers de méditation, Olga prend la position du yogi. Inspire, expire, inspire. Elle ferme les yeux et elle imagine. *Le vent baise mes seins et déploie en corolle mes grands voiles bercés mollement par les eaux.* Des dizaines de sirènes surnagent dans le miroir qui s'est liquéfié et elles l'appellent de leur chant. *Voici plus de mille ans que la triste Ophélie* attend qu'on prenne la relève. Sans hésiter, Olga plonge dans la nappe d'eau argentée et ses jumelles l'entraînent vers son lit nuptial, où un *beau cavalier pâle* l'attend.

* * *

Derrière le voile des illusions, il y a la scène. La troupe.

Et la fierté de Bernard Vendel, assis dans la première rangée, qui les applaudit du mieux qu'il le peut, avec son nouveau sourire en forme de demi-lune et ses poussières de comète dans les yeux.

Les Conjuguées

Même âge, même poids, même taille. Maillot de bain noir et bonnet blanc. Pince-nez, lunettes, serviette : identiques. À peine six heures du matin, mais Noémie et Mylène additionnent déjà les longueurs.

Let's go, les Conjuguées. Aujourd'hui, on pratique le coup de pied à la lune, grand écart.

Noémie et Mylène rient en chœur avant de replonger dans l'eau comme si elles ne faisaient qu'une.

Les Conjuguées.

Maintenant, tout le monde les appelle ainsi. Même l'entraîneuse de nage synchronisée.

* * *

Monsieur Gauthier s'est permis de leur donner ce surnom parce qu'il les connaît bien. Il leur a enseigné le français en deuxième secondaire et il le leur enseigne de nouveau en quatrième secondaire. Pour Noémie et Mylène, la vie est une chorégraphie perpétuelle et monsieur Gauthier ne cache pas sa fascination. Moitié par habitude et moitié pour s'amuser, Noémie et Mylène bougent presque toujours au même tempo, avec beaucoup de grâce, comme si elles suivaient la cadence d'une musique entendue d'elles seules. Calquer son pas sur celui de l'autre jusqu'au local d'informatique, allumer l'ordinateur, prendre un crayon dans son coffre, manipuler la souris pour aller cliquer dans le coin droit de l'écran, surligner, copier, coller : une symétrie parfaite, au quart de seconde près.

L'autre jour, alors qu'elles travaillaient en projet à planifier leur rallye Internet sur la nouvelle littéraire, monsieur Gauthier leur a dit : *Les Conjuguées, vous êtes hallucinantes. Même vos prénoms se complètent. Quand je vous regarde, j'ai l'impression de voir double.* Les Conjuguées. Toute la classe a ri. Y compris Noémie et Mylène. Personne ne connaissait le sens nominal du terme, mais tout le monde trouvait que ça leur allait comme un gant, à cause des verbes qu'elles accordent toujours à la première personne du pluriel.

Pas une once de méchanceté derrière ce sobriquet qui leur est resté. Monsieur Gauthier est si sympathique. Dire qu'il prendra sa retraite à la fin de l'année scolaire. Lorsqu'il n'enseignera plus, qui leur apprendra, en profitant d'un coq-à-l'âne, que *les conjuguées sont aussi des algues d'eau douce, vertes et sans spores, de la famille des chlorophycées, naissant de deux cellules de filaments voisins qui se soudent l'un à l'autre pour former une azygospore ?* Un vrai dictionnaire de botanique, ce Léon Gauthier.

* * *

Soudées l'une à l'autre comme des algues d'eau douce identiques. Une vision si poétique de leur amitié.

Ce soir, les Conjuguées dorment chez Noémie. Depuis l'âge de dix ans, une semaine elles couchent chez l'une ; la semaine suivante, elles couchent chez l'autre. Un accord tacite entre leurs parents, une garde partagée très élargie. La famille de l'une, la famille de l'autre. La chambre de l'une, la chambre de l'autre. Le chat persan de Noémie ou le chat abyssin de Mylène. La piscine creusée chez Noémie ou le lac derrière le chalet chez Mylène : du pareil au même.

Dormir chez l'une ou chez l'autre, ça facilite les déplacements lors des entraînements quotidiens, avant le début des cours et après l'école. Et ça permet aux parents de n'assister qu'à une compétition sur deux. Or, argent ou bronze : de toute façon, le duo ramène toujours des médailles et les deux familles se réunissent au restaurant pour fêter la victoire lorsque les filles sont revenues en ville.

Vivre au pouls de l'autre : danser, étudier, magasiner, manger, rire, rêver, nager.

Ensemble et si heureuses d'être ensemble.

* * *

Eau trouble.

On your shore. Dans les haut-parleurs sous-marins, la voix d'Enya nous berce. Comme une mère invisible qui nous donnerait la permission de conjuguer tous les verbes au présent.

Même le verbe aimer.

Coup de pied à la lune, vrille montante. Culbute arrière. Demi-tour. Dauphin genou plié. Vrille descendante. Queue de poisson. Let's go, les Conjuguées, on reprend du début.

Au bord de la piscine, droites, ruisselantes et souriantes. Inspirer profondément avant le nouveau plongeon. Prendre le temps de fermer les yeux et de visualiser la scène en détail, comme notre entraîneuse nous l'a appris. Nous nous imaginons sur le podium, après la compétition de ballet aquatique, aux Jeux olympiques de Londres, en 2012. Chignon maintenu par de la gélatine afin de garder les cheveux tirés, coiffe d'argent, maillot de bain pailleté, note parfaite, sourire triomphant : médaille d'or.

En attendant, sous l'eau, parfois, nos bouches se cherchent.

Personne ne doit savoir. Surtout pas nos parents.

Demeurer deux presque jumelles qui nagent sagement dans le même liquide amniotique et qui se couchent comme des siamoises dans le même lit.

* * *

Non, non, les garçons de l'école n'ont pas raison. Nous ne sommes pas des gouines. Nous sommes des conjuguées.

* * *

Que vienne l'été. Nous pourrons enfin nous retrouver seules, de l'aurore au crépuscule, à nous entraîner pour la finale provinciale, dans la piscine creusée chez Noémie ou dans le lac, derrière le chalet chez Mylène.

Pour le moment, concentrons-nous sur la technique, l'élégance et le rythme. Dans moins d'un mois, déjà, les finales régionales.

Nova vrille continue. Il nous faut devenir une seule femme, à quatre bras, quatre jambes. *Grue de côté, grand écart.* Il suffira de nous fondre l'une dans l'autre, comme aspirées dans le sillon d'une même étoile filante, et nous effleurerons la lune de la pointe du pied.

* * *

Saut périlleux.

Une seule femme à quatre bras, quatre jambes et deux sexes moites.

Surtout, que personne ne le sache.

Ensemble et si heureuses d'être ensemble. *On your shore,* dans le lit de Noémie ou dans celui de Mylène. Avec la bénédiction de la lune, sous les regards complices d'Aphrodite, des Muses et de Sappho.

Le Népenthès

Je sucerai, pour noyer ma rancœur,
Le népenthès et la bonne ciguë
Aux bouts charmants de cette gorge aiguë
Qui n'a jamais emprisonné de cœur.

Charles BAUDELAIRE, « Le Léthé ».

Écraser le prof tel un vulgaire cloporte, d'un coup de talon rageur. Voilà ce que Marc-Aurèle désirerait. La dictée qui craque sous la chaussure, exceptions métaphores allitérations réduites en poudre, et la carapace qui libère une matière grise aussi visqueuse que nauséabonde.

Il faudrait ouvrir l'horizon ténébreux du tableau comme on déchire un long rideau noir.

Derrière, il y aurait le musée des horreurs. Une mulâtre avec une gueule de guenon et une chevelure d'écorce enracinée à un dictionnaire grand comme le Jardin des délices. Un prof de français au cerveau éclaté, qui macère dans son pus entre deux fleurs du mal. Une prof de maths avec une racine carrée enfoncée dans le cœur en guise de pieu, qui se recroqueville sur sa plaie pour des siècles et des siècles dans une classe remplie de formol. Et lui, Marc-Aurèle, le visage à demi caché par sa longue cape de vampire, célébrant qui invite parents et élèves à visiter l'exposition monstrueuse.

* * *

Un népenthès – un népenthès bicalcarata –, c'est aussi une plante avec des crocs. En affirmant cela, monsieur Gauthier regarde Marc-Aurèle dans les yeux. Les pupilles fixes de celui qui croit pouvoir tout comprendre.

Complètement démodées, ses grosses lunettes rouges.

Marc-Aurèle sait très bien ce que signifie le mot « népenthès ». Le vieux Gauthier se douterait-il de quelque chose ? Mais non. Il croit probablement l'intéresser davantage à ce poème de Baudelaire en lui parlant de pièges et d'incisives, d'ascidies et d'insectes digérés.

Il perd son temps. Les champs lexicaux ne l'intéressent pas. Les figures de style et la polysémie, encore moins.

Dicter un poème et l'interpréter ensuite. Quel devoir inutile ! Ça parle toujours d'amour, un poème. Et l'amour, Marc-Aurèle, ça lui lève le cœur.

Pourquoi s'acharnent-ils tous contre lui ?

* * *

Je veux dormir ! Dormir plutôt que vivre ! S'il s'endormait juste là, pour toujours, pendant son brouillon d'analyse de texte, la tête qui tombe comme un bloc de ciment sur l'anthologie de poèmes devenue un long fleuve d'encre, les idées noires qui plongent jusqu'au fond du Léthé.

Ça lui éviterait de devoir affronter ses parents dans le bureau du directeur à seize heures quinze.

Tout ça pour une vidéo de Jacinthe Sénéchal-Prozac en train de péter les plombs sur *YouTube*.

S'ils décident de l'expulser de l'école, il reviendra leur en faire voir de toutes les couleurs. Surtout du rouge de l'écarlate du sanglant.

* * *

Jérôme Saint-Gelais-l'Australopithèque est un pédophile. Lettres noires sur briques sales. La récréation, ce matin : un petit graffiti aux conséquences incommensurables. *Martyr docile, innocent condamné.* C'est Baudelaire qui lui a donné l'idée. Il s'agissait de lire entre les lignes. L'insinuation malsaine comme un haricot maléfique qui pousse, qui pousse et qui continuera de pousser jusqu'au bureau du directeur. Signé : *Le Népenthès.*

* * *

Encore penchée sur son dictionnaire, cette guenon mulâtre. Qu'espère-t-elle donc y trouver pendant un cours de géo ?

T'as les cheveux gras, Tête de cresson. Bien méritée, cette fois, la taloche derrière la nuque. Ça lui apprendra à se lever assez tôt pour avoir le temps de se laver la tête avant de venir à l'école.

Jérôme l'Australopithèque ne s'en est pas rendu compte. Ce prof ne voit jamais rien. Un primate aveugle qui n'attend que le son de la cloche pour retourner se terrer dans sa grotte.

Plus que trois heures avant le rendez-vous fatidique chez le directeur.

À la récréation, cet après-midi, sa victime sera Marie-Ève Tanguay.

* * *

Viens sur mon cœur, âme cruelle et sourde, Tigre adoré, monstre aux airs indolents. La pousser contre les casiers, comme toutes les autres, appuyer une main sur sa belle nuque bronzée de gonzesse de riche de racoleuse de putain, comme toutes les autres, et serrer juste un peu, juste assez fort pour lui faire comprendre qu'il pourrait lui écraser les vertèbres une à une, en la regardant dans les yeux, couteau pointé à la naissance des seins qui semblent moins gros, de près, qu'il ne les avait imaginés, de loin. Les pupilles fixes de celui à qui l'on doit obéissance. Lui ordonner d'enlever sa petite culotte sur-le-champ, lui chuchoter à l'oreille *tu portes plainte, je te dissèque après l'école,* comme si c'était un alexandrin de Baudelaire, tout près du lobe, juste assez près pour l'effleurer des lèvres et s'enivrer de son parfum de Marie-Ève mûre sauvage. *Et respirer, comme une fleur flétrie, le doux relent de mon amour défunt.*

Enfin, un *slip tanga.*

Rose avec un cœur de velours blanc.

C'est le premier de sa nouvelle collection. Des sacs à dos, Marc-Aurèle en a extorqué une trentaine. Des baladeurs aussi. Mais des petites culottes, il n'en a que cinq. Pour le moment.

* * *

Plus qu'une heure avant le rendez-vous fatidique.

Fermer les yeux et caresser le coton rose comme si c'était un sein de racoleuse de putain sauvage au parfum de mûre. *J'étalerai mes baisers sans remord sur ton beau corps poli comme le cuivre.*

S'ils l'expulsent, il leur en fera voir de toutes les couleurs.

Surtout du rouge de l'écarlate du sanglant.

Il est le Népenthès. Ils sont d'infimes insectes.

L'abécédaire

L'amour est un abricot pulpeux dont le jus nous coule sur le menton et les doigts et dont nous découvrons la saveur avec tant de bonheur. L'amour est une armure qui tombe. Un appareil dentaire qui nous gêne lors du premier baiser. Un alcool qui engourdit la tête et réchauffe le corps.

Élo biffe ses idées d'un trait de crayon rageur.

Comment réussira-t-elle à terminer son devoir avec ce mal de ventre qui la scie en deux ?

Un abécédaire. Amélie Larose, la suppléante qui remplacera Bernard jusqu'à la fin de l'année, leur a demandé d'écrire un abécédaire poétique. Quelle drôle d'idée, un abécédaire poétique ! Elle leur a proposé plusieurs thèmes : l'enfance, l'amitié, l'amour, la vie, la mort, l'oubli, la tristesse, la colère, la musique. Elle leur a expliqué qu'en ajoutant un verbe être ou un deux-points ou des points de suspension plus un nom et un déterminant, ils pouvaient créer une métaphore. En guise d'exemple, elle leur a cité cet extrait d'un dénommé Breton : « La rêverie… une jeune femme merveilleuse, imprévisible, tendre, énigmatique, provocante, à qui je ne demande jamais compte de ses fugues. »

Amélie Larose prétend que créer des métaphores, ça développe leurs *compétences à écrire des textes variés*.

Éloïse a choisi l'amour. Comme toutes les filles de sa classe, probablement. *Full quétaine, le thème*. Mais les autres sujets ne l'inspiraient pas. Alors, elle a opté pour le moins nul des neuf. Ça lui permettra au moins de penser à Nathan.

* * *

L'amour est un abattoir.

Nathan vient de téléphoner. Il lui a dit que ça leur ferait du bien de prendre un *break*. Un *break*. Comme ça. Sans aucune raison.

Aucune raison : mon œil ! Élo voit clair dans son jeu : depuis la semaine dernière, elle sent bien que Marie-Ève Racoleuse-Tanguay tourne autour de Nathan comme un manège indécent, avec sa mini-jupe d'uniforme qui a rapetissé – par exprès – au lavage.

Probablement qu'il veut prendre un *break* parce qu'elle, Éloïse Langlois, elle se respecte et ne veut pas coucher avec lui, alors que Marie-Ève Racoleuse-Tanguay ne demande que ça.

Élo noircit les marges de son devoir de français.

L'amour est une blague. L'amour est un barbouillage d'enfant naïf. L'amour est une bactérie.

Savoir écrire des textes variés ne lui ramènera pas Nathan.

* * *

L'amour est un courriel d'excuses qu'on espérerait tant recevoir. L'amour est un chant sacré qui résonne dans toutes les parties du corps, même les plus secrètes. L'amour est une colle qui nous cimente au regard de l'autre. L'amour, l'amour, l'amour… un cantaloup pas assez mûr. Une cerise pourrie.

L'amour : une date encerclée en rouge dans notre agenda, avec des cœurs dessinés sur toute la page. Tellement cul-cul, maintenant qu'elle y pense.

Non, elle ne jouera pas à la poupée Barbie avec sa petite sœur Sandrine. Derrière la porte close de sa chambre, sur un ton qu'elle voudrait pourtant moins agressif, Élo lui crie qu'elle ne jouera plus jamais à la Barbie avec elle, qu'elle n'a plus l'âge de jouer à la Barbie ni d'inventer des histoires de princesse à saveur Perrault qui n'en finissent plus de se marier et d'avoir beaucoup d'enfants. Elle a maintenant l'âge de les vivre, les histoires de princesse, et d'être aimée *pour de vrai* par un prince charmant même s'il est juste un gros sans-cœur.

Elle a l'âge d'être aimée par Nathan, le plus beau garçon de la classe, à qui elle répondra « oui » la prochaine fois qu'il lui demandera si elle est prête à aller jusqu'au bout.

Élo ne sait pas ce qui lui prend. Sandrine n'a que dix ans. Elle a l'impression qu'elle vient de trancher l'enfance de sa petite sœur en deux, comme une poire encore verte, d'un seul clac de couteau Wüsthof pareil à celui qu'elles n'ont jamais le droit d'utiliser dans la cuisine de leur mère. Comme ça : avant les Barbie, après les Barbie.

Parfois, elle voudrait pouvoir dire à sa Sandrinette adorée : *OK, aujourd'hui, on va faire comme si j'avais encore le droit de jouer aux poupées avec toi. Mais c'est juste pour te faire plaisir. Et surtout, tu n'en parles à personne.* D'autres fois, elle a tellement honte d'avoir consenti à ces enfantillages jusqu'à l'âge de treize ans et demi.

C'est tellement compliqué, devenir une adulte. En caressant Orphée, son chaton gris et blanc, Élo lui confie que la vie paraissait tellement plus simple et tellement plus sensée avant, quand elle n'avait que sept ou huit ans.

Orphée cligne des yeux. Il ne comprend rien à ce qu'elle raconte et il prend sa position de crevette tigrée qui se tord et s'étire et s'offre tout entier aux caresses, des coussinets aux poils sur le dessous du museau. Tu n'as qu'à fermer les yeux, semble-t-il lui souffler. Fais comme moi, roule-toi en boule, roucoule et ronronne.

Ce serait si bien, de se métamorphoser en chat sur-le-champ. On mange, on joue, on dort, et quand ça ne fait pas l'affaire : on crache, on griffe, on mord.

Et ce soir, elle mordrait au sang.

* * *

L'amour est un éléphant prisonnier d'une cage minuscule.

L'amour est un fruit empoisonné. L'amour est un fil barbelé dans lequel on s'empêtre.

L'amour est une grue qui détruit d'un coup toutes nos certitudes.

L'amour est un habit trop grand, une hallucination, un halètement qu'on ne peut retenir entre deux sanglots.

L'amour est une invitation qui ne vient pas, qui ne viendra plus jamais, l'amour est un idéal idiot.

L'amour est un jeûne perpétuel. Une joute inégale.

Éloïse bute sur la lettre « K ». K comme koala, comme kaléidoscope, comme kilos en trop ? On passe. Amélie Larose a conseillé de ne pas s'attarder sur les lettres embêtantes et de reprendre la course à obstacles à la fin du poème. En vérité, Élo n'a qu'un mot en tête et c'est un gros mot qui commence par un « C ». Ce qu'elle pense de l'amour : ça ressemble à un chapelet de sacres qu'elle n'oserait jamais écrire dans un devoir de français. Alors, elle saute à la lettre « L ».

L'amour est une larme qui n'en finit plus de couler. Sur les joues, les oreilles, le menton, la gorge, la poitrine, le ventre, les cuisses, les genoux, les mollets, les chevilles, les orteils, alouette. Élo rature cette énumération beaucoup trop longue. Aussi pathétique qu'inutile. *Full* cliché, l'amour est une larme. Amélie Larose a bien expliqué que certaines métaphores et certaines comparaisons nous paraissent tellement évidentes qu'elles deviennent des lieux communs. Pour illustrer ses propos, l'enseignante leur a fait faire une tempête d'idées et le tableau noir s'est retrouvé infesté de clichés qui volaient dans tous les sens comme des mannes folles. L'amour est une larve qui prolifère plus vite que les lentes de poux. L'amour est une langue de lave en fusion qui avale tout dans son avancée.

Lave, larme, larve. Ces trois mots se ressemblent étrangement, Élo n'y avait jamais pensé. À eux seuls, ils résument son idylle avec Nathan : un sentiment qui couve en elle depuis le début de l'année scolaire. La peine qu'elle a ce soir. Ce qu'elle pense maintenant de lui.

Pourquoi pleurer pour une larve ?

L'amour est une morgue où l'on se putréfie chaque seconde un peu plus.

L'amour est un non-sens. L'amour est une nausée bilieuse. L'amour est un nodule qui grossit jusqu'à prendre toute la place. L'amour est un nœud auquel on se pend.

Ha ! ha ! Un nœud auquel on se pend. Élo imagine la tête d'Amélie Larose qui lit ça lors de la correction, qui téléphone de toute urgence à Béatrice Migneault, l'animatrice de vie spirituelle et d'engagement communautaire, qui, elle, convoque Élo dans son bureau le lendemain matin et lui demande : *Éloïse, veux-tu qu'on en parle, veux-tu qu'on en parle Éloïse,* et qui ne cesse de répéter sa ritournelle, *qu'est-ce qui t'a touchée, qu'est-ce qui t'a touchée,* comme un vieux CD qui saute, pour finalement lui suggérer de prendre rendez-vous avec Audrey, la psychologue, qui, elle, ne pourra pas la rencontrer avant un mois parce qu'elle ne travaille qu'un jour ou deux par semaine à l'école.

O. O. O. Orgasme. Onanisme et Onte.

Mais non. Honte, ça prend un h.

Élo efface les mots « onanisme » et « orgasme ». Cette lettre est aussi vicieuse que Nathan.

L'amour est un orage qui éclate en plein cœur et qui n'arrête pas de tonner entre nos tempes.

Elle voudrait lui dire : *ça ne compte pas,* exactement comme elle pouvait le faire avec sa petite sœur quand elles jouaient à la Barbie avec des amies, dehors, sur la grande galerie devant la maison. Elles s'étaient entendues là-dessus : quand elles jouaient avec des étrangères, ça ne comptait pas. La vie de leurs poupées s'arrêtait pour un intermède qu'elles oubliaient aussitôt, et elles pouvaient reprendre la suite de leur histoire à elles, juste à elles, quand elles se retrouvaient enfin seules, toutes les deux, au sous-sol.

D'ailleurs, toutes leurs Barbie et tous leurs Ken avaient un nom une profession une maison un mari une femme qu'ils conservaient au fil des années.

Leur salle de jeu, c'était un autre monde.

Un monde merveilleux.

Si on pouvait faire la même chose dans la vraie vie... Elle dirait : *OK, mon sans-cœur. Va voir Marie-Ève Racoleuse-Tanguay, passe quelques jours avec elle au Jardin des délices, ça ne comptera pas, ce n'est qu'une erreur de parcours, un paradis artificiel, une mauvaise copie d'un tableau de Bosch, nous reprendrons notre histoire d'amour après ton aventure, comme si de rien n'était.*

Certains couples adultes y arrivent, semble-t-il.

Mais Élo, elle, ne peut s'empêcher de croire que l'amour est un pont qui relie à l'autre pour la vie plutôt qu'un triangle isocèle avec des côtés interchangeables. L'amour est un unique prénom qu'on répète à l'infini. Nathanathanathan. L'amour est une page qu'on n'arrive pas à tourner, qu'on arrache, qu'on piétine, qu'on froisse et qu'on lance au chat pour qu'il la déchiquette sauvagement.

L'amour est une plaie qui se régénère comme un foie. Plaie, peine, prison, pleurer égalent clichés.

Q. Q. Q. Seul le mot « querelle » lui vient à l'esprit. Et le mot « queue ». Beaucoup trop vulgaire, elle perdra des points. On saute à la lettre « R ».

L'amour est une ronde infinie où tous les enfants de la terre se prennent par la main comme sur le logo d'Unicef. L'amour est un rêve douillet – mon Dieu qu'elle peut être rose-gnangnan-romantique quand elle veut –, l'amour est un rendez-vous qu'on a refusé vendredi parce qu'on devait garder des enfants.

Et si Nathan en avait profité pour la tromper ce jour-là ?

L'amour est un souterrain qui s'affaisse. L'amour est un serpent venimeux qui danse dans notre ventre avant d'ouvrir sa gueule pour nous avaler tout rond, de l'intérieur.

L'amour est un tam-tam qui enterre les comptines de l'enfance. L'amour est une torpille qui détruit tout sur son passage. L'amour est un *trou rouge à la place du cœur.* Attention : plagiat. Qui a dit ça, déjà ? Rimbaud ? Hugo ? Breton ? Pas d'importance.

En tout cas : sombre et sinistre, l'amour. Une urne funéraire.

L'amour est un voyage qui devrait durer toujours. Un wagon qui déraille. Un wapiti perdu. Blessé. Aveugle. Un xylophone dont on vient d'arracher les touches, un yogourt périmé, une zone sinistrée.

Et on recommence : l'amour est un noyau d'abricot trop sec sur lequel on vient de se casser les dents…

Éloïse n'a pas envie de recommencer. Elle n'a pas envie de relire de peaufiner d'écrire de réécrire des textes variés. Voilà pour le devoir d'Amélie-Bouche-trou-Larose-pourpre-du-Caire, elle le lui remettra tel quel, brouillon, manuscrit, raturé. Avec les fautes en prime. De toute façon, comme d'habitude, la suppléante écrira « Bravo ! » et elle lui suggérera d'envoyer son poème au journal de l'école.

Qui l'eût cru ? Pour la première fois de sa vie, Éloïse Langlois-la-Nerd-dans-toutes-les-matières-surtout-le-français se fiche éperdument de la note qu'elle aura.

Nathan en aime une autre.

Après tout, l'amour, le seul vrai, le plus pur, c'est peut-être cela : accepter de jouer à la Barbie pour une dernière fois avec sa Sandrinette, même si on a treize ans et demi.

Personne ne saura. Ça ne comptera pas. Et ça fera tellement de bien d'engourdir sa peine dans les bras de l'enfance.

Juste pour un soir.

Comme si elle croquait dans une pomme interdite dont le jus sucré lui coulerait sur le menton et les joues et les doigts et le cœur et l'âme.

Pomme et seringue

Tu descends et tout fait silence
dans l'ultime profondeur, le temps
n'est qu'une poignée de pierres
un vent y oscille
– grésil, orage, éclaircie.

Hélène DORION, *Mondes fragiles choses frêles.*

L'autobus n'arrive pas.

En attendant, Alex frotte et refrotte ses jointures contre le mur de briques de l'école. Jusqu'à ce qu'elles se mettent à saigner.

Alex voudrait disparaître lentement, lambeau par lambeau, la peau, les veines, les muscles, les os, la moelle : râper plus creux, encore plus creux, se râper jusqu'à l'âme.

Ses parents seront furieux. À cause de sa douleur d'écorchée vive, ce soir, leur petite Alexandra chérie si talentueuse si parfaite ne pourra pas se présenter à sa leçon hebdomadaire de violoncelle. *Quelqu'un m'a poussée. Je suis tombée tête première sur l'asphalte et j'ai voulu me retenir. Ne vous en faites pas, ce n'est qu'une égratignure ou presque.*

Pour oublier sa douleur, Alex imagine : la course des doigts ensanglantés sur la touche d'ébène devenue poisseuse. De l'arcanson dans les plaies. Les cordes de l'instrument gommées d'hémoglobine. *Pizzicato. Prestissimo. Fortissimo.* Elle joue, elle joue, elle joue à s'en scier les doigts, elle se vide de son sang jusqu'à la dernière goutte, jusqu'à la fausse note finale, jusqu'à l'ultime soupir, sous les regards affolés de son père et de sa mère.

* * *

Dernier banc d'autobus. Alex fouille frénétiquement dans son sac à dos. Elle en sort un petit sachet de poudre, une seringue et l'élastique qui lui servira de garrot, tout à l'heure, et elle les cache dans la grande poche de son manteau d'hiver noir.

Patienter encore un peu.

Tout à l'heure, elle pourra se piquer. Surtout, ne prendre aucun risque. N'importe lequel de ces gosses de riches pourrait la dénoncer n'importe quand, s'il s'apercevait que. Elle se répète qu'elle pourra bientôt se piquer. En arrivant à la station de métro Longueuil, dans les toilettes publiques, elle pourra enfin s'offrir un *rush*.

En attendant, elle ferme les yeux à demi. Mine de rien, elle ressort l'élastique de sa poche et elle l'enroule autour de ses doigts qui recommencent à saigner. Entre ses cils, elle fixe le collège, au loin, qui se découpe sur la ligne d'horizon, monstre de briques aux trois tours hérissées comme des griffes.

Elle vient de prendre une décision.

Elle ne remettra plus jamais les pieds entre les murs de cet enfer pour gosses de riches. Au diable le français, la chimie, les mathématiques, la cote R, le conservatoire, l'orchestre symphonique des jeunes, les concours musicaux et tout le tralala.

En rentrant à la maison, elle fera exactement comme si : elle prendra soin de garder ses gants pour ne pas que ses parents remarquent ses écorchures, elle ira chercher son violoncelle et bonne soirée, bon vent, adieu, elle filera vers la station de métro Longueuil, comme d'habitude, comme une petite Alexandra chérie si talentueuse si parfaite qui se rendrait vraiment à sa leçon hebdomadaire de musique.

Lorsqu'elle claquera la porte, le silence qui suivra sera le premier d'une longue fugue.

* * *

Alex vient de jeter sa pomme entamée entre les rails, station Longueuil. Juste à côté de sa seringue vide.

Ça ferait une belle photo.

Vitamines et méthamphétamine. Une rime riche.

Avec son téléphone cellulaire, Alex immortalise l'antithèse. Tant que l'avis de recherche n'a pas été lancé, elle peut encore se servir de l'appareil. D'ailleurs, elle prévoit monter un compte plutôt salé à ses parents, en accumulant les faux numéros interurbains en dehors des heures prévues par le forfait. Pas de presse. Elle dispose d'au moins vingt-quatre heures.

Le titre de la photo sera *Pomme et seringue*.

Pomme et seringue. Ça sonne comme un nom de dessert.

Voilà le premier cliché qu'ils recevront. Un dessert indigeste qu'elle leur servira sur un plateau d'argent, envoyé à partir d'un café Internet, d'une nouvelle adresse électronique créée exprès pour eux, petitpoucet16@hotmail.com : « Votre fille se drogue », pomme et seringue en fichier joint. Elle imagine la scène : *Encore un peu de méthamphétamine, cher papa ?* comme on dirait *prendrais-tu de la crème glacée ?*

* * *

Une pancarte « À VENDRE » sur l'étui rigide de son violoncelle, retenue tant bien que mal autour du manche par l'élastique qui lui sert habituellement de garrot. En toile de fond : les vitraux de Marcelle Ferron.

Ce sera la deuxième photo qu'ils recevront. Son titre : *Mauve vert orange et bleu, prochain départ dans trois minutes,* comme on dit devine où je suis, la poésie prend le métro station Champ-de-Mars et l'enfance est restée loin derrière, *le temps n'est qu'une poignée de pierres,* suis-moi à la trace car ton petit poucet virtuel rompra bientôt la communication.

Alex vient de vendre son violoncelle pour se payer un billet de train Montréal-Toronto. Après la transaction, elle a couru après le receleur pour récupérer sa petite boîte d'arcanson à un prix déraisonnable. Un souvenir de son ancienne vie aux relents de térébenthine, qu'elle gardera bien caché dans sa poche, tel un talisman, pour chasser le doute, pour se rappeler qu'elle a été une fille soumise si talentueuse si parfaite pendant dix-sept ans ou presque.

Sa mère a beau demander la collaboration des médias, l'implorer tant qu'elle veut, lui dire qu'elle l'aime et pleurer en direct comme elle le fait depuis quelques jours à l'heure du bulletin de nouvelles, Alex ne retournera plus jamais entre les murs de cette prison de marbre qu'était la maison.

Décrocheusedécrocheusedécrocheuse. Fugueusefugueuse fugueuse. Alex répète ces mots, elle les roule dans sa bouche, elle les savoure syllabe par syllabe et leurs consonnes mousseuses finissent par prendre un goût de liberté mêlée de crème chantilly.

La poésie ne s'enseigne pas à l'école, elle se vit dans la rue.

* * *

Le *dealer* a du retard. Mais qu'est-ce qu'il fait, qu'est-ce qu'il fait, qu'est-ce qu'il fait.

En l'attendant, rue Dundas, Alex frotte et refrotte les jointures de sa main gauche contre le mur de briques de l'édifice près du Tim Hortons. Pendant ce temps, Mescal lèche ses plaies, sur les jointures de l'autre main qui tremble. Ce vieux cabot errant qui suit leur bande de jeunes de parc en parc semble l'avoir adoptée pour de bon.

Main droite, main gauche. Main de la touche, main de l'archet. Que fera-t-elle lorsqu'elle aura dilapidé les derniers dollars soutirés de la vente du violoncelle ?

Souvent, la musique lui manque. Dans ces moments-là, elle caresse l'arcanson et elle rêve du bout des doigts. Puis, l'odeur de résine sur ses phalangettes collantes lui rappelle qu'elle a déjà été une fille trop sage trop soumise jamais assez parfaite.

La-ré, sol-do, la-ré, sol-do. Tire pousse. Pousse tire. Lorsqu'elle tournait les clés de l'instrument, au lieu de l'accorder, elle s'amusait à baisser la corde de *ré* un quart de ton trop bas et à monter la corde de *do* un demi-ton trop haut et tire pousse pousse tire, elle plaquait une série d'accords dissonants parce que ça faisait grogner Mélomane, le bichon maltais de sa mère. *Pauvre Mélomane chéri. Tu vois bien que tu le tortures.*

Sa mère prétendait que Mélomane avait l'oreille absolue.

Sa mère lui a toujours préféré son chien.

Quelle imbécile ! S'attacher autant à un tas de poils.

Alex ordonne à Mescal de déguerpir en feignant de lui donner un coup de *cap* d'acier entre les côtes. Sur un ton agressif, elle répète : *Move, Mescal. Move.* Mais Mescal ne bouge pas. Avec sa langue râpeuse, il s'entête à lui lécher les plaies.

Alex voudrait disparaître d'un coup. La peau, les veines, les muscles, les os, la moelle : un vulgaire morceau de gras qui fond entre les crocs du cerbère.

* * *

Assise à même le sol humide, dans un hangar désaffecté du nord de la Ville Reine, Alex gratte une vieille guitare mal accordée, en chantant près du feu qu'ils ont enfin réussi à allumer avec le bois des lutrins volés dans la sacristie de l'église anglicane, hier soir. Maverick l'accompagne à la flûte à bec. La pipe d'*ice* circule de main en main, Alex a froid, elle n'a pas mangé depuis deux jours, mais elle ne s'est jamais sentie aussi vivante.

Son père mourrait de honte s'il apprenait qu'elle a dû quêter pour se payer cette vieille guitare couverte de graffitis.

Alex a l'impression de distinguer le visage rougeaud de son vieux et ses sourcils diaboliques qui dansent entre les flammes, des signes de dollar à la place des yeux.

Et clic. Gros plan de sa main nouvellement tatouée, à plat sur la caisse de résonance de la guitare, où quelqu'un a écrit ces paroles de Rage Against the Machine : *Fuck you, I won't do what you tell me.*

Ce sera la troisième photo.

Ce cliché-là pourra très bien se passer de titre.

* * *

Son premier client ressemble à son père. La quarantaine avancée, sourcils broussailleux, barbe fraîchement rasée, complet, cravate et musc.

Lorsqu'il enlève son caleçon, Alex vomit.

L'homme en a partout. Même sur les testicules.

Après l'avoir traitée de tous les noms, il lui ordonne de commencer son *blow job,* il lui enserre la tête dans les mains et il la force à engloutir sa bite.

* * *

Alex pleure dans les bras de Maverick.

Elle ne peut pas aller jusque-là. Elle ne veut plus jamais aller jusque-là. Elle a beau fermer les yeux et oublier les va-et-vient en imaginant très fort qu'elle joue de la clarinette, *a tempo, accelerando,* plus vite, plus vite, point d'orgue, le cœur lui lève juste à sentir l'odeur de caoutchouc de sexe poisseux de fantasme pervers. Ne pourraient-ils pas fuir ensemble, d'un bout à l'autre du Canada, et se contenter de jouer de la musique de métro en métro ?

* * *

Maverick est mort d'une overdose. Mescal l'a retrouvé alors qu'il était déjà froid.

* * *

Une main appuyée contre la vitrine du luthier et l'autre qui caresse l'arcanson dans la poche du manteau noir devenu trop grand. Depuis trois jours, Alex passe ses après-midi à contempler l'instrument. Un géant roux, si rond, si reluisant, si majestueux. Il doit bien valoir dans les trente mille dollars. Elle rêve de le prendre entre ses bras, d'appuyer sa tête sur ses flancs et de s'endormir pour toujours dans le ventre de la musique.

Derrière la vitrine, un vieil homme s'approche. Étonnamment, il ne semble pas rebuté par les cicatrices qui couvrent les mains d'Alexandra, ni par son tatouage, ni par ses mèches de cheveux roses mauves pourpres écarlates et sales.

Il lui sourit et lui fait signe d'entrer.

D'une voix assurée qu'elle ne reconnaît pas, Alex ose enfin lui demander le plus poliment qu'elle le peut : *Please, may I try it ?*

L'homme acquiesce. Contre toute attente.

Les cours d'anglais peuvent donc servir à quelque chose ?

Alex se rue sur le géant roux dès que le luthier le lui tend. Elle s'amuse à baisser la corde de *ré* un quart de ton trop bas et à monter la corde de *do* un demi-ton trop haut, elle plaque l'archet sur les doubles cordes et tire pousse pousse tire. Elle rit comme une petite fille en voyant le vieux mélomane lui lancer un clin d'œil complice.

Avec sa barbiche blanche, ses cheveux longs et son toupet dans les yeux, il a l'air d'un bichon maltais.

Elle accorde l'instrument et prend une longue inspiration. *Religioso. Mi, ré* dièse, *mi. La, ré* bécarre. *Decrescendo. Do, si, do. Mi, si, la.* Les notes remontent une à une comme des bulles qui éclatent à la surface de la mémoire. *La foi,* de Georg Goltermann. Elle joue, elle joue, elle joue et son vibrato oscille en une longue prière triste.

* * *

Monsieur Van der Hoeven a promis de ne pas la dénoncer à la police. Après tout, dans un an, elle sera majeure.

Ils ont fait un pacte. Si elle accepte de suivre une cure de désintoxication, il lui permettra ensuite de dormir sur un matelas, dans l'atelier de lutherie, et il la laissera jouer du violoncelle tout son saoul après les heures d'ouverture de la boutique.

* * *

Le jour, elle l'aide à nettoyer, à polir et à revernir les violons. Et le soir, elle joue, elle joue, elle joue. Au velours sonore de l'instrument, elle joint maintenant d'étranges effets de voix. Une voix grave et assurée qu'elle ne se connaissait pas, qui chante en anglais, dans une langue poétique qu'elle découvre un peu plus chaque soir.

Elle sera la seule violoncelliste au monde avec un serpent qui danse sur la main.

Elle a déjà hâte d'envoyer la quatrième photo à ses parents : un gros plan de son tatouage fétiche. En toile de fond, la caisse de résonance du géant roux.

Bien sûr, ils devront patienter encore quelques mois, voire un an ou deux. Mais un jour, ils recevront un disque qu'elle aura enregistré dans le studio du fils de monsieur Van der Hoeven, qui lui a offert de devenir son agent.

Fuck you, I won't do what you tell me. I can do what I want.

Comme dans un tableau d'Escher

Pour survivre jusqu'à demain, Raphaëlle imagine.

Il suffirait d'un pont. Un pont de verre, un pont de feu. Un pont de brume, un pont de soie, un pont de sable. Un pont qui lui permettrait de traverser de l'autre côté du tableau. Magritte ou Chagall, de préférence. Ou Escher. Ou Dali.

Traverser dans un autre univers quelques heures, le temps d'oublier que.

* * *

Il y aurait un pont de verre. Elle prendrait Nathan par la main et ils marcheraient avec précaution sur cette surface friable comme les premières glaces de l'automne.

Au bout du pont, un tableau de Chagall.

Robe blanche et complet violet, du sommet de la tour Eiffel, ils s'envoleraient dans des noces aériennes qui les propulseraient vers le soleil. Une fée en guise de bouquetière et un ange au violon dans les jupes. Le ventre gonflé comme une montgolfière.

* * *

Puis, il y aurait un pont de feu. Elle prendrait Nathan par la main et ils marcheraient comme deux miraculés léchés par les flammes.

Au bout du pont, un tableau de Dali.

Elle dirait : *Regarde, Nathan. Au-delà des cimes du rêve, dans ce désert indigo où les girafes s'immolent, telle cette femme-coccyx, j'ouvre pour toi mon corps. Mon ventre est un aquarium. C'est mon enfance qui flotte à la surface. Morte noyée bleue, mon enfance, étranglée par un minuscule cordon ombilical qui me tiendra lieu de béquille molle pour entrer dans la vie adulte.*

* * *

Puis, il y aurait encore un pont. Un pont de dentelles et de soie. Transparentes et filamenteuses. Elle prendrait Nathan par la main. Ils seraient minuscules. Elle guiderait leurs pas entre les lianes de cette toile d'araignée gigantesque.

Après ce pont, il y aurait des escaliers infinis. Tortueux. Comme dans un tableau d'Escher. Elle dirait : *Regarde, Nathan. Nous tournons en rond comme des momies aveugles. Céline, l'infirmière de l'école, a raison. Nous ne pouvons pas le garder. Nous avons toute la vie devant nous, et elle ne doit pas ressembler à un labyrinthe.*

* * *

Ensuite, il y aurait un pont de brume. Raphaëlle serait seule.

Au bout du pont, un tableau de Magritte. Une fois franchie cette porte taillée à même un rocher, tout serait possible. Le jour deviendrait la nuit, le lac serait le firmament, l'enfance reprendrait sa place dans un chapeau melon, entre foulard, dame de pique et lapin. Un médecin sans visage avec une pomme sur la tête affirmerait *ceci n'est pas un test de grossesse, c'est une ligne d'horizon encastrée dans une fenêtre beaucoup trop étroite*. Il lui dirait : *venez dans ma clinique de roc*. Et là, dans ce château de pierre pas plus grand qu'un cœur, on l'avorterait en apesanteur. L'enfant s'éloignerait doucement, comme un rossignol qui disparaîtrait en chantant.

* * *

Raphaëlle ne dira rien à Nathan.

* * *

Demain, il y aura le pont Champlain. Au bout du pont, la peur.

Un vrai boulevard un vrai gynécologue une vraie civière une vraie seringue une vraie canule introduite dans le col de l'utérus un vrai piston aspirant du vrai sang.

Mais *le bébé, lui, n'est pas encore un vrai bébé*. Céline, l'infirmière de l'école, le lui a répété plusieurs fois. Encore tantôt, elle l'a rassurée. *Tout ira bien. Tu seras sous anesthésie locale. Ce n'est qu'un mauvais moment à passer.*

Ce n'est qu'un mauvais moment à passer, dans une clinique immaculée désinfectée stérile où on effacera toute trace de cet amour à sens unique avec Nathan.

Elle ne *sentira rien*.

Elle n'aura qu'à imaginer. Qu'il y a un pont. Un pont inachevé qui s'égraine lentement, comme s'il était de sable.

Le temps d'oublier que. Le ventre minéral et les yeux déjà secs.

Trompe-l'œil

À ma sœur Rosaline, pour ses siamoises d'argile

Jour 2 : 8 h 50.

Jacinthe Sénéchal ajuste la lentille du projecteur et les rouges sanglants de l'image projetée sur la toile se précisent.

Full dégueu, grommelle Maya.

Mais la prof l'a entendue. À croire qu'elle sait lire sur les lèvres, cette Sénéchal-Prozac. La voilà qui se lance aussitôt dans une explication interminable, interminable comme ces cours qui se succèdent, interminables, chaque jour de l'horaire sept jours interminable de cette interminable quatrième année du secondaire. *Non, ce n'est pas une simple carcasse de bœuf* full dégueu *dont on aperçoit les entrailles. C'est la reproduction d'une nature morte célèbre, exposée au Louvre.* Le bœuf écorché *de Rembrandt. À partir du milieu du seizième siècle, dans la peinture flamande, des sujets comme ceux du porc ou du bœuf monumental étaient couramment exploités dans les tableaux. Ici, Rembrandt, dont le parcours artistique n'est parsemé que de quelques natures mortes, a voulu représenter la mort et le caractère éphémère des choses terrestres. Remarquez les reliefs. Et la lumière qui fait ressortir les rouges et les jaunes. Ne trouvez-vous pas la métaphore impressionnante ?*

Les natures mortes, la métaphore, le caractère éphémère des choses terrestres : Maya s'en contrebalance. La carcasse est *full dégueu* quand même.

Cette école est *full dégueu.* Sa mère est *full dégueu.* Sa vie est *full dégueu.*

* * *

Jour 4 : 13 h.

Une bouteille de Chianti, une théière de faïence, un Cupidon manchot. Des grenades, des pommes, des poires, disposées éparses sur une table de bois patiné par le temps. Des beaux fruits parfaits, sans aucune tavelure.

Trop parfaits, ces fruits. *Ont l'air d'être en plastique,* ronchonne Maya.

Aujourd'hui, vous allez peindre une nature morte à la manière de Cézanne. Les fruits aiment qu'on fasse leur portrait, disait Cézanne. Ils viennent à vous dans toutes leurs odeurs, vous parlent des champs qu'ils ont quittés, de la pluie qui les a nourris, des aurores qu'ils épiaient.

La voilà qui se lance encore dans ses élucubrations insensées à propos de la peinture, de la pluie bienfaitrice et des fruits qui seraient nos amis.

Regardez les fruits, écoutez ce qu'ils vous racontent.

Si elle consentait à dessiner cette nature morte, Maya la peindrait en noir, en rouge et en brun. Avec beaucoup plus de noir que de brun.

D'abord, elle ferait éclater les grenades, piétinerait les poires et révélerait le ver qui ronge la pomme.

Puis, il faudrait placer la table devant l'œuvre, comme si les modèles mutilés regardaient leur portrait en devenir. Coller de vraies pelures et de vrais pépins en surimpression, sur la table recouverte d'une toile noire, et les laisser pourrir sous le regard médusé du Cupidon empalé pour l'éternité sur l'une de ses propres flèches, une bouteille de Chianti en guise de biberon.

Mais Maya ne dessinera rien aujourd'hui. Elle préfère le blanc, les toiles vierges, les mères qui avortent.

Quand on s'approche de leur cœur, tous les fruits sentent le pourri. Et on peut en dire autant des mères.

* * *

Jour 5 : 15 h.

Écoutez la terre : elle vous parlera, répète Jacinthe Sénéchal-Prozac, avec un enthousiasme qui sonne faux.

Cette prof-là est complètement folle.

La terre ne peut pas parler : elle n'a pas de bouche. Les mères, elles, peuvent pulvériser toute votre vie en un seul aveu.

Les deux mains sur la motte d'argile froide et gluante, Maya ferme les yeux. Et soudain, elle creuse, elle pétrit, elle entend. Trouve un œil, un cou, une tête. Puis deux. Puis trois.

Déjà 15 h 55 ? Elle n'a pas vu le temps passer. Trois têtes de démons sont nées sous ses doigts rageurs. Trois têtes et un seul cou, un seul cou qui ploie sous le poids d'une peine éternelle. Trois têtes siamoises plus laides les unes que les autres. Toutes mutilées. La première à qui il manque un œil, l'autre qui n'a pas de joue, la dernière qui a une plaie béante à la place des lèvres. Toutes déformées par un même cri qui s'étire jusqu'au menton et se dilue en un long sanglot.

Maya terminera son œuvre au prochain cours. Elle sculptera la colonne vertébrale du monstre. Pour tout corps : une immonde queue de rat qui reviendra s'enrouler autour des jugulaires saillantes.

C'est le portrait de sa mère.

La Sénéchal-Prozac n'a pas raison. La terre ne parle pas : elle hurle.

* * *

Jour 7. 13 h 50.

Ceci n'est pas une pomme. Ceci n'est pas une pipe. L'acacia : un œuf. La lune : une chaussure. La neige : un chapeau. L'orage : un verre d'eau. Les diapositives se succèdent, mais Maya n'est plus là, elle revisite son propre désert.

Sur l'épaule de Magritte, elle pleure en silence.

Sa mère n'est pas sa mère.

* * *

Il y a sept jours, dimanche de Pâques, déjeuner trop parfait avec sa mère trop parfaite et son père trop parfait autour d'une table trop parfaite, digne d'un faux Cézanne. Avec du chocolat en prime.

Sa famille de faïence qui éclate tout d'un coup.

Sa mère raconte : cancer de l'utérus à vingt ans, chimiothérapie, rémission, infertilité définitive.

Entre deux sanglots, sa mère avoue.

Trente ans. Un enfant à tout prix. Sa jeune sœur Sabine qui lui ressemble comme une siamoise. Maya conçue *in vitro* : un ovule de Sabine et un spermatozoïde de son père. Maya implantée dans l'utérus de sa tante qui se révèle être sa mère et élevée par sa mère qui n'est pas sa mère, mais sa tante.

Un enfant à tout prix.

Un enfant blond qui ne serait pas le sien, mais qui aurait l'air du sien. Un enfant blond à qui elle pourrait peindre une vie en trompe-l'œil, avec la complicité de toute la famille.

* * *

Maya ne pourra jamais lui pardonner.

Sa mère est un monstre.

À cause d'elle, tout ce qu'elle a vécu depuis quinze ans se résume à un long mensonge vaseux.

La terre, elle, au moins, dit la vérité quand on lui lacère le ventre.

Plus haut, toujours plus haut

Lundi matin, neuf heures. Un grand tableau noir, une craie neuve et trente-trois paires d'yeux qui scrutent le moindre de ses gestes. De vrais élèves qui attendent les instructions. Dans une vraie classe. Et elle, Amélie Larose, en train d'écrire les consignes de leur production écrite. « En vous inspirant de l'une des photographies suivantes, rédigez le brouillon d'un récit vraisemblable où le héros vivra une transformation psychologique. »

Amélie a toujours rêvé d'être enseignante. Quand elle était petite, dans sa chambre, elle avait une ardoise qu'elle remplissait à ras bord, avec des craies de toutes les couleurs. Parfois, les devoirs et les leçons qu'elle dictait à ses élèves imaginaires débordaient sur les murs et ils se rendaient jusqu'à la fenêtre, comme s'ils avaient eu des ailes.

Écrit-elle assez gros ? Les jeunes comprennent-ils sa graphie ? Les photographies qu'elle a choisies sont-elles inspirantes pour des adolescents de treize ou quatorze ans ?

Pour toute réponse, des regards interrogateurs et des froncements de sourcils. Un exemple, il faudrait lire un exemple, pourquoi n'a-t-elle pas prévu de leur lire d'abord un exemple ? *Parce qu'on t'a téléphoné il n'y a même pas une heure,*

Amélie-la-mélo. Calme-toi respire reprends ton souffle et pense vite.

Quels livres a-t-elle apportés dans son sac à dos ? Amélie les énumère en catastrophe dans sa tête. *Poèmes à rêver. Les Fleurs du mal. Mondes fragiles choses frêles. Poids plume. Cet imperceptible mouvement. Va savoir. Troublant.*

Réfléchir en fixant les photographies au tableau, dos tourné aux élèves : la gaffe. Il semble que les avions de papier et les morceaux de gomme à effacer se rendent plus vite que ses consignes à l'autre extrémité de la classe.

Comment leur dire que le français, c'est important, que de savoir « écrire des textes variés », ça leur servira toute leur vie, ne serait-ce que parce qu'ils devront un jour pondre une offre de service tellement convaincante qu'ils seront appelés une semaine plus tard pour faire de la suppléance, à huit heures trois minutes, un lundi matin du mois d'avril, alors qu'ils viennent tout juste de finir leur dernière session universitaire et qu'ils n'ont même pas encore reçu officiellement leur diplôme ?

Vite, rétablir la discipline. Elle qui n'a jamais été de nature autoritaire, pas même avec ses chats.

Calme-toi respire reprends ton souffle et réagis, Amélie-la-mélo.

Écarlate et à bout de souffle, Amélie invente une histoire : *Il était une fois une suppléante qui était tellement nerveuse qu'elle en oubliait de respirer. Alors, elle se mit à gonfler, gonfler, gonfler comme une montgolfière et faillit avoir une collision avec un avion de papier...*, et évite de justesse l'objet volant non identifié qui se dirigeait droit sur elle.

Tous les élèves s'esclaffent et Amélie rit de bon cœur avec eux. *Quel genre de transformation psychologique doit-elle subir pour survivre jusqu'à la fin de l'année de scolaire ?*

* * *

Jeudi matin, neuf heures dix : le directeur du collège Notre-Dame-de-Grâce au téléphone. Troisième période de l'avant-midi, première secondaire, ils sont rendus à la poésie. Première période de l'après-midi, quatrième secondaire, ils sont rendus à la nouvelle littéraire. Peut-elle être là pour dix heures quinze, aujourd'hui, et pourra-t-elle remplacer Léon Gauthier pendant une semaine ?

Cette fois, Amélie a prévu le coup. Sa trousse de suppléante compte maintenant des cercles de lecture et des ateliers d'écriture pour tous les types de textes, de tous les niveaux. *On ne se fait prendre les culottes baissées qu'une seule fois,* a conclu sa mère à la fin de leur séance de clavardage, alors qu'Amélie lui racontait son premier vrai cours, l'autre soir.

Sa mère et ses réponses surgelées insipides.

Si j'étais végétale, si j'étais animale, si j'étais minérale. Si j'étais de l'eau, si j'étais du feu…

Non. Pas tout de suite. Il faut d'abord leur faire « découvrir des univers littéraires en explorant des textes poétiques », c'est écrit noir sur beige, à la page 102, dans le *Programme de formation de l'école québécoise.* Utiliser plutôt ce poème de Cécile Cloutier « pour nourrir et stimuler leur imaginaire ». *J'étais verte / Dans un moment très parfait / D'algue / Au chant de coquille / Épelant un filet / De mes dix doigts.* J'étais pêche, j'étais bleue, j'étais ocre… Dans un moment de…. Cette contrainte d'écriture lui servira de déclencheur pour les initier à la métaphore. Mais devrait-elle plutôt leur permettre de choisir entre les deux exercices ?

Qu'en pensez-vous, Narcisse et Valériane ? Oreilles circonflexes, queue qui s'enroule en point d'interrogation, gros dos. Pour toute réponse, Valériane lui saute sur les pieds et lui mordille le bout des orteils comme s'ils étaient des olives.

Vite, enfiler un bas de nylon neuf, attraper une pomme et courir jusqu'à l'arrêt d'autobus.

* * *

Pourquoi a-t-il fallu qu'elle choisisse précisément cet exemple-là ? *J'étais écarlate...*

Tous les élèves s'esclaffent. Et ils ont bien raison : Amélie passe son temps à rougir pour des riens, comme si elle était confinée à figurer éternellement dans un long-métrage monochrome. *Si j'étais un fruit, je serais un cassis, une cerise, une fraise, une framboise, une groseille.*

Mi-figue mi-raisin, Amélie essaie de tirer parti de son lapsus. Vite, enchaîner en leur expliquant une règle de grammaire. *J'étais écarlate, tu étais écarlate, elle était écarlate, nous étions écarlates, écarlates avec un s. J'étais coquelicot, tu étais coquelicot, elle était coquelicot, nous étions coquelicot, pas de s. Pourquoi ? Parce que rose, mauve, pourpre, incarnat, écarlate et fauve sont des exceptions. Ces noms simples, employés comme adjectifs pour désigner une couleur, s'accordent en genre et en nombre avec le nom auxquels ils se rapportent. Le saviez-vous ?*

* * *

Bernard Vendel a fait un AVC.

Et elle, Amélie Larose, vient d'hériter d'un contrat à temps plein jusqu'à la fin de l'année scolaire. *Le malheur des uns fait le bonheur des autres,* a dit sa mère, tout à l'heure, au téléphone, à l'annonce de la nouvelle. Quel cliché morbide ! Sa mère ne comprend pas : Amélie se sent comme une voleuse. Une part d'elle-même est triste pour ce passionné de théâtre et de littérature que la vie vient de confiner dans les coulisses du silence ; l'autre part est heureuse d'avoir le beau rôle dans cette histoire.

Le poste de Bernard Vendel. Une demi-tâche en français et une demi-tâche en arts dramatiques : le rêve ! En prime, elle devra superviser la troupe de théâtre de l'école et faire la mise en scène d'une adaptation d'*Hamlet* de Shakespeare ! Léon Gauthier, son collègue, a promis de lui donner un coup de main lors des générales. *Aurais-tu cru que tu pourrais un jour affirmer cela,* Léon Gauthier, mon collègue, *quand tu fréquentais ce collège et que tu te sentais tellement moche dans ton uniforme, il y a six ou sept ans, Amélie-la-mélo ?*

Pour tout souper, un immense bol de *pop-corn* au beurre. Pas le temps de cuisiner. Amélie Larose va signer son premier contrat demain et, ce soir, elle doit monter sa première vraie séquence didactique !

Qu'en dites-vous, Narcisse et Valériane ? Même pas un mois après la fin de mon bac !

Mais a-t-elle moralement le droit de se réjouir ? Pauvre Bernard.

* * *

Voilà. Amélie fait maintenant partie de l'équipe-école : les élèves lui ont trouvé un surnom. Amélie Larose-Mauve-pourpre-incarnat-écarlate-et-fauve.

Mieux vaut en rire qu'en pleurer, philosopherait sans doute sa mère.

Après tout, Amélie a peut-être réussi son coup le jour de son fameux lapsus : dorénavant, tout le monde maîtrisera au moins une règle de grammaire ! Et les surnoms de ses collègues Jérôme et Jacinthe sont beaucoup plus cruels que le sien.

* * *

Vendredi, trois heures trente du matin. *Calme-toi respire ferme les yeux pense à autre chose.* La voilà encore qui « insomnise » en songeant à demain. Corriger jusqu'à l'heure du coucher : jamais une bonne idée. Mais lundi matin arrivera vite et la pile de travaux semble toujours aussi haute que la tour Eiffel, dans sa nouvelle préférée du recueil *Le K* de Dino Buzzati. Prendre le temps d'annoter, d'encourager, de souligner les forces et les faiblesses et de donner une note équitable…

Amélie repense aux devoirs d'Éloïse Langlois et elle se demande s'il faut interpréter ses textes comme des bouteilles lancées à la mer. D'abord, il y a eu : *Si j'étais de l'eau, je serais une larme.* Ensuite : *Je serais bleue. Dans un moment de noyade parfaite.* Enfin : *L'amour est un nœud auquel on se pend.*

Amélie ne peut s'empêcher d'imaginer la petite Éloïse Langlois se balançant dans les toilettes des filles, pendue à une poutre métallique au bout d'une corde tressée avec ses bas de nylon.

Une première de classe, pourtant.

Devrait-elle téléphoner à Céline, l'infirmière, ou à Audrey, la psychologue, pour leur parler de ce cas inquiétant ? Lundi, elle demandera conseil à Béatrice Migneault.

Quand son père sentait qu'elle sombrait en eau trouble, à l'adolescence, il lui demandait : *Encore dans les nuages, Amélie-la-mélo ? Qu'est-ce que tu vois de ton ballon ?* C'était sa façon de l'interroger sur ce qui n'allait pas sans risquer la ruade. Et parce qu'elle l'aimait tant, son père, même dans ces moments où elle avait l'impression de figurer dans un film monochrome où tous les jours se ressemblent et où on tente simplement de survivre au gris, elle acceptait de jouer le jeu et inventait des paysages surréalistes. *Qu'est-ce que tu vois de ton ballon, Amélie-la-mélo ?* Un jardin où il pousse des bombes. Le naufrage d'un chat qui s'échoue sur une île de feu. Une jeune fille avec des glaciers dans les yeux.

Amélie ne l'a jamais avoué à personne, mais depuis la mort de son père, quand elle n'en peut plus des réponses préfabriquées et des conseils surgelés de sa mère, elle reprend le jeu dans sa tête.

Qu'est-ce que tu vois de ton ballon, cette nuit, Amélie-la-mélo ? Un père qu'on a exposé à cercueil fermé, la bouche éclatée en un ultime cri de pavot rouge sang.

* * *

Vendredi, cinq heures du matin. Un chat sur les genoux, l'autre sur le ventre, Amélie s'endort et elle rêve.

Elle fait monter tous ses élèves dans un grand tablier multicolore qui gonfle, gonfle et gonfle, et toute la classe s'envole sur les ailes des mots. Trente-trois élèves dans son giron et un chat sur chaque épaule.

Plus haut, toujours plus haut.

Et pourtant.

Elle a si souvent l'impression d'être encore une ado.

Des versions précédentes de « Cent quatre-vingts degrés », « Ancolie », « De l'eau sur les poumons », « À plusieurs mers d'*elle* », « Ou presque », « Les conjuguées », « Comme dans un tableau d'Escher » ont paru respectivement dans *Dans toute université, une école veille*..., Sherbrooke, Éditions du CRP / Université de Sherbrooke, 2004, p. 39-41 ; *Harfang,* n° 28, mai 2006, p. 28-32 ; *XYZ. La revue de la nouvelle,* printemps 2008, n° 93, p. 20-25 ; Christiane Lahaie, dir., *Ces mondes brefs. Pour une géocritique de la nouvelle québécoise contemporaine,* L'instant même, 2009, p. 108-110 ; *Le bateau fantôme,* n° 8, 2009, p. 67-72 ; *Jet d'encre,* n° 14, printemps 2009, p. 67-70 ; *Virages,* n° 49, 2009, p. 34-36.

Recueils de nouvelles parus chez le même éditeur :

Parcours improbables de Bertrand Bergeron
Ni le lieu ni l'heure de Gilles Pellerin
Mourir comme un chat de Claude-Emmanuelle Yance
L'Atelier imaginaire. Nouvelles de la francophonie
(en coédition avec l'Âge d'Homme)
L'araignée du silence de Louis Jolicœur
Maisons pour touristes de Bertrand Bergeron
L'air libre de Jean-Paul Beaumier
La chambre à mourir de Maurice Henrie
Ce que disait Alice de Normand de Bellefeuille
Circuit fermé de Michel Dufour
En une ville ouverte, collectif franco-québécois
(en coédition avec l'Atelier du Gué et l'OFQJ)
Silences de Jean Pierre Girard
Les virages d'Émir de Louis Jolicœur
Mémoires du demi-jour de Roland Bourneuf
Transits de Bertrand Bergeron
Principe d'extorsion de Gilles Pellerin
Petites lâchetés de Jean-Paul Beaumier
Autour des gares d'Hugues Corriveau
La lune chauve de Jean-Pierre Cannet (en coédition avec l'Aube)
Passé la frontière de Michel Dufour
Le lever du corps de Jean Pelchat
Espaces à occuper de Jean Pierre Girard
Bris de guerre de Jean-Pierre Cannet et Benoist Demoriane
(en coédition avec Dumerchez)
Je reviens avec la nuit de Gilles Pellerin
Nécessaires de Sylvaine Tremblay
Tu attends la neige, Léonard ? de Pierre Yergeau
La machine à broyer les petites filles de Tonino Benacquista
(en coédition avec Rivages)
Détails de Claudine Potvin
La déconvenue de Louise Cotnoir
Visa pour le réel de Bertrand Bergeron

Meurtres à Québec, collectif
Légendes en attente de Vincent Engel
Nouvelles mexicaines d'aujourd'hui, traduites de l'espagnol et présentées par Louis Jolicœur
L'année nouvelle, collectif (en coédition avec Canevas, Les Éperonniers et Phi)
Léchées, timbrées de Jean Pierre Girard
La vie passe comme une étoile filante : faites un vœu de Diane-Monique Daviau
L'œil de verre de Sylvie Massicotte
Chronique des veilleurs de Roland Bourneuf
Gueules d'orage de Jean-Pierre Cannet et Ralph Louzon (en coédition avec Marval)
Courants dangereux d'Hugues Corriveau
Le récit de voyage en Nouvelle-France de l'abbé peintre Hugues Pommier de Douglas Glover (traduit de l'anglais par Daniel Poliquin)
L'attrait de Pierre Ouellet
Cet héritage au goût de sel d'Alistair MacLeod (traduit de l'anglais par Florence Bernard)
L'alcool froid de Danielle Dussault
Ce qu'il faut de vérité de Guy Cloutier
Saisir l'absence de Louis Jolicœur
Récits de Médilhault d'Anne Legault
Аэлита/Aélita d'Olga Boutenko (édition bilingue russe-français)
La vie malgré tout de Vincent Engel
Théâtre de revenants de Steven Heighton (traduit de l'anglais par Christine Klein-Lataud)
N'arrêtez pas la musique ! de Michel Dufour
Et autres histoires d'amour... de Suzanne Lantagne
Les hirondelles font le printemps d'Alistair MacLeod (traduit de l'anglais par Florence Bernard)
Helden/Héros de Wilhelm Schwarz (édition bilingue allemand-français)
Voyages et autres déplacements de Sylvie Massicotte
Femmes d'influence de Bonnie Burnard
Insulaires de Christiane Lahaie

On ne sait jamais d'Isabel Huggan (traduit de l'anglais par Christine Klein-Lataud)
Attention, tu dors debout d'Hugues Corriveau
Ça n'a jamais été toi de Danielle Dussault
Verre de tempête de Jane Urquhart (traduit de l'anglais par Nicole Côté)
Solistes de Hans-Jürgen Greif
Haïr ? de Jean Pierre Girard
Trotski de Matt Cohen (traduit de l'anglais par Daniel Poliquin)
L'assassiné de l'intérieur de Jean-Jacques Pelletier
Regards et dérives de Réal Ouellet
Traversées, collectif belgo-québécois (en coédition avec les Éperonniers)
Revers de Marie-Pascale Huglo
La rose de l'Érèbe de Steven Heighton (traduit de l'anglais par Christine Klein-Lataud)
Déclarations, collectif belgo-québécois (en coédition avec les Éperonniers)
Dis-moi quelque chose de Jean-Paul Beaumier
Circonstances particulières, collectif
La guerre est quotidienne de Vincent Engel (en coédition avec Quorum)
Toute la vie de Claire Martin
Le ramasseur de souffle d'Hugues Corriveau
Mon père, la nuit de Lori Saint-Martin
Tout à l'ego de Tonino Benacquista
Du virtuel à la romance de Pierre Yergeau
Les chemins contraires de Michel Dufour
Cette allée inconnue de Marc Rochette
Tôt ou tard, collectif belgo-québécois (en coédition avec les Éperonniers)
Le traversier de Roland Bourneuf
Le cri des coquillages de Sylvie Massicotte
L'encyclopédie du petit cercle de Nicolas Dickner
Métamorphoses, collectif belgo-québécois (en coédition avec les Éperonniers)

Les travaux de Philocrate Bé, découvreur de mots, suivis d'une biographie d'icelui, collectif
Des causes perdues de Guy Cloutier
La marche de Suzanne Lantagne
Ni sols ni ciels de Pascale Quiviger
Bye-bye, bébé d'Elyse Gasco (traduit de l'anglais par Ivan Steenhout)
Le pharmacien de Sylvie Trottier
Dangers, collectif belgo-québécois (en coédition avec Images d'Yvoires)
Nouvelles mémoires de Marie Claude Malenfant
Vers le rivage de Mavis Gallant (traduit de l'anglais par Nicole Côté)
Peaux de Marie-Pascale Huglo
Pornographies de Claudine Potvin
Clair-obscur, collectif belgo-québécois (en coédition avec Images d'Yvoires)
Arrêts sur image de Lise Gauvin
Mémoire vive de Maurice Henrie
Le dragon borgne de Gérard Cossette
Carnet américain de Louise Cotnoir
La route innombrable de Roland Bourneuf
Trois filles du même nom de Suzanne Lantagne
Les noces de vair de Jean-François Boisvert
Ï (i tréma) de Gilles Pellerin
La Mort ne tue personne de France Ducasse
On ne regarde pas les gens comme ça de Sylvie Massicotte
Les cinq saisons du moine de David Dorais
5-FU de Pierre Gagnon
Femme-Boa de Camille Deslauriers
Par ailleurs de Réal Ouellet
Intra-muros de Nicole Richard
Trompeuses, comme toujours de Jean-Paul Beaumier
Les cigales en hiver d'Hélène Robitaille
Les enfants de Manhattan de Marie-Jeanne Méoule
Sottises que tout cela d'Anne Perry-Bouquet
L'amour est un carburant propre de Virginie Jouannet Roussel
Le feu purificateur de Claire Martin

L'art de la fugue de Guillaume Corbeil
Je jette mes ongles par la fenêtre de Natalie Jean
Dessins à la plume, suivi de *Histoires entre quatre murs* de Diane-Monique Daviau
Ici et là de Stéphanie Kaufmann
Le chat proverbial de Hans-Jürgen Greif
Partir de là de Sylvie Massicotte
Le cahier des villes de Louise Cotnoir
Nouvelles du Chili, traduites de l'espagnol par Nahed Nadia Noureddine, Marie-Ève Létourneau-Leblond et Louis Jolicœur
Il faut me prendre aux maux de Luc Bureau
Inventaire du Sud d'Alain Raimbault
La pêche aux vélos de Marie Claude Malenfant
Le cabinet de curiosités de David Dorais
Dans un geste de Suzanne Lantagne
Amours insolites du Nouveau Monde de María Rosa Lojo (traduit de l'espagnol [Argentine] par André Charland)

ACHEVÉ D'IMPRIMER
EN AOÛT 2011
SUR LES PRESSES DE MARQUIS IMPRIMEUR INC.
SUR PAPIER SILVA ENVIRO
100 % POSTCONSOMMATION

BIO GAZ
ÉNERGIE